Ringraziamenti / Acknowledgements:
At Scripta Maneant: Giorgio Armaroli and Lucia Sollazzo.

Mr Bryan Deschamp;
Mr Antoine Coron,
Director of Rare Books at the Bibliothèque Nationale de France;
Mr Pascal Cotte of Lumière Technology;
Dr Kathleen Doyle, Curator of Illuminated
Manuscripts at the British Library;
Sally Dunkley; Ms. Judith Flogdell;
Ms Elisabetta Gnigniera;
Mr John Goldfinch, Head of Incunabula at the British Library;
the late Jeanne Marchig; Keith McGowan; Paul Mitchell;
Mr David Murdock of National Geographic;
Dr. Tomasz Ososiński, formerly Head of the Department of Early Printed Books
in the National Library of Poland;
Mr Jean Penicaut, President of Lumière Technology;
Dr Sarah Simblet of the Ruskin School of Art, Oxford University;
Mrs Joanna Ważyńska, Chief Curator of the National Library of Poland;
Ms Katarzyna Woźniak, and Emeritus Professor D.R. Edward Wright.

Ringraziamenti speciali / Special Thanks:
Primary thanks are to Peter Silverman, who first sensed that the portrait
is something very special, purchased it and facilitated the research with
unquenchable enthusiasm. The brilliant technical examinations of the portrait
and subsequently the demonstration its associations with the Warsaw Sforziada,
undertaken by Pascal Cotte of Lumière Technology
in Paris, have been central to our quest to understand its making.
He may in effect be considered co-author of this study.

Martin Kemp

La Bella Principessa
di Leonardo da Vinci
Ritratto di Bianca Sforza

Martin Kemp

SCRIPTA MANEVNT

Presidente
Presidente
Roberto Maroni

Assessore Generale Culture,
Identità e Autonomie
Cristina Cappellini

Assessore Casa, Housing Sociale,
all'EXPO 2015
e Internazionalizzazione
delle Imprese
Fabrizio Sala

Sponsored by

Progetto ideato da
Vittorio Sgarbi
Ambasciatore Expo
per Regione Lombardia

Responsabile del progetto
Sauro Moretti

Coordinamento generale
Giovanni C. Lettini

Direzione creativa
Sara Pallavicini

Segreteria organizzativa
Francesca Sacchi Tommasi

Pubbliche relazioni
Marco Fazzari

Presidente
Raffaele Martena

Amministratore Delegato
Giorgio Armaroli

Direttore editoriale
Federico Ferrari

Grafica e Redazione
Antonio Paoloni
Alessia Rossi

Relazioni collezionisti
Anna Armaroli
Manuela Malaigia

Eventi
Debora Rota

Foreign Department
Lucia Sollazzo
l.sollazzo@scriptamaneant.it

Ufficio Stampa
Silvia Gnoni
ufficio.stampa@scriptamaneant.it

Presidente
Roberto Scanagatti

Direttore Generale
Lorenzo Lamperti

Consiglio di Gestione
Massimiliano Longo
Pietro Palella
Pietro Luigi Ponti
Ivo Spagnoli
Giuseppe Totaro

Area valorizzazione e fruizione
comunicazione e eventi
Corrado Beretta
Anna Chianese

Area Legale, Acquisti e Patrimonio
Monica Larcher
Barbara Sardi

Area Finanziaria,
Amministrativa e Personale
Ornella Cereda
Riccardo Renelli

Area Tecnica
Fabio Marco Berti
Luisa Marchi
Stefano Monti
Antonino Parisi
Augusto Sanvito

Segreteria
Clara Marzotto
Mariagrazia Peditto

La Bella Principessa
di Leonardo da Vinci
Ritratto di Bianca Sforza

Martin Kemp

Introduzione di
Vittorio Sgarbi

Con nota di
Roberto Maroni
Cristina Cappellini
Fabrizio Sala
e di Roberto Scanagatti

Contibuti di
Mina Gregori
Cristina Geddo
Elisabetta Gnignera

SCRIPTA MANEVNT

Expo Milano 2015 rappresenta un'occasione unica e irripetibile per promuovere le eccellenze culturali, artistiche, architettoniche e paesaggistiche della Lombardia. Particolarmente importante a questo scopo è la collaborazione tra enti pubblici e istituti culturali attivi sul territorio regionale, da cui possono scaturire positive sinergie.

Regione Lombardia ha inteso valorizzare il proprio patrimonio culturale attraverso un progetto multidisciplinare di ampio respiro per rilanciare sulla scena internazionale la cultura e l'arte di tutto il territorio lombardo, esaltando la vocazione della Lombardia come "regione della cultura".

Il progetto artistico e scientifico "EXPO Belle Arti Lombardia", ideato ed elaborato dal Prof. Vittorio Sgarbi, che ringraziamo per questo pregevole lavoro, propone un fitto programma di attività e di eventi culturali di alto profilo, itinerari di visita in siti diversi e unici, con un'offerta culturale coordinata a livello di comunicazione, di promozioni tariffarie e facilitazioni logistiche, tale da accrescere l'attrattività e la visibilità delle singole iniziative e dei luoghi che le ospiteranno.

Realizzato in collaborazione con il Ministero dei Beni e delle Attività Culturali e del Turismo, il Comune di Milano e le principali istituzioni culturali lombarde, il progetto consente di apprezzare luoghi e opere d'arte tra i più suggestivi in Lombardia: capolavori imprescindibili come la *Canestra di frutta* di Caravaggio, opere meno conosciute, in quanto molto spesso fuori dai percorsi turistici più frequentati o perché solitamente non aperti al pubblico, o giunte in Lombardia per questa grande iniziativa e per l'Esposizione Universale.

Un programma ricco e insolito, di sicuro interesse e fascino, che a partire da maggio, e fino a ottobre, offrirà un catalogo di mostre d'eccezione, eventi e un'ampia scelta di itinerari proposti per scoprire o riscoprire le "Belle Arti" di Milano e di tutta la Lombardia.

Roberto Maroni
Presidente

Cristina Cappellini
Assessore alle Culture, Identità e Autonomie

Fabrizio Sala
Assessore Casa, Housing sociale, Expo 2015 e Internazionalizzazione delle Imprese

La Bella principessa di Leonardo da Vinci è un'altra sublime sorpresa che il Consorzio propone ai monzesi e a quanti vorranno visitare la nostra città e la Reggia di Monza. Con il lavoro attribuito a Leonardo e custodito a Varsavia, potremo vivere la magia e il mistero che lo rende una delle opere più affascinanti della storia dell'arte, anche se meno noto al grande pubblico.

Voglio ringraziare Vittorio Sgarbi e Regione Lombardia per aver contribuito alla realizzazione di questo progetto espositivo, al cui centro c'è un capolavoro realizzato più di 500 anni fa da un vero e proprio genio dell'arte, dell'innovazione, della tecnologia: Leonardo, un personaggio del quale siamo tutti orgogliosi e che ha contribuito a creare la fama dell'Italia nel mondo.

Nello spettatore la suggestione artistica sono sicuro sarà amplificata dal contesto espositivo nel quale abbiamo deciso di collocare l'opera, la Sala del Trono e gli Appartamenti reali, molto apprezzati dai visitatori in questi ultimi mesi, che potranno mettere ancora una volta in mostra una bellezza unica, anche per gli arredi ricollocati di recente grazie al lavoro del Consorzio e della Soprtintendenza regionale dei beni storico artistici.

L'opera di Leonardo per la prima volta esposta in Villa Reale contribuisce a mantenere a un livello di assoluta qualità l'offerta che il Consorzio è impegnato a garantire agli amanti dell'arte ma anche a un pubblico più vasto. Vogliamo proseguire su questa strada per fare in modo che Monza, che come città ha molto da offrire, durante i mesi di Expo sia per i tanti visitatori attesi una meta da non perdere e che continui ad esserlo anche dopo l'esposizione universale.

Roberto Scanagatti
Sindaco di Monza e Presidente del Consorzio Villa Reale e Parco di Monza

Expo Milano 2015 offers a one-off, unrepeatable chance to promote the Lombardy Region's world-class cultural, artistic, architectural and landscape heritage. To achieve this, it is vital for public bodies and cultural institutes within the region to work together and generate positive synergies.

The Region of Lombardy is keen to leverage its cultural heritage through a wide-ranging multidisciplinary plan that will raise the profile of the entire region's art and culture on the world stage, while highlighting Lombardy's vocation as a "region of culture".

We wish to thank Professor Vittorio Sgarbi for the commendable "EXPO Belle Arti Lombardia" artistic and scientific project he has conceived and developed for us: a cultural package that is coordinated in its communication, price promotions and logistical benefits to form a packed programme of high-profile cultural activities and events, as well as tours to a number of unique sites. The project will help to raise the profile and visibility of the individual events and locations that it embraces.

Staged in partnership with the Italian Ministry of Cultural Heritage and Activities, the City of Milan, and Lombardy's most important cultural institutions, the project will attract visitors to some of Lombardy's most suggestive places and works of art, featuring world-class masterpieces like Caravaggio's Basket of Fruit as well as works that are less well-known because they are off the beaten tourist track, not usually on public view, or have come to Lombardy only for the big Universal Exposition event.

This unique, rich programme starts in May and continues until October with a highly appealing range of exceptional exhibitions and events, along with a series of tours that make it possible to discover (and indeed rediscover) the Fine Art of Milan and the whole Lombardy Region.

Roberto Maroni
President

Cristina Cappellini
Councillor for Cultures, Identities and Autonomous Powers

Fabrizio Sala
Councillor for Housing, Social Housing, Expo 2015 and Business Internationalization

COMUNE DI
MONZA

CONSORZIO
VILLA REALE
E PARCO DI MONZA

"La Bella Principessa" by Leonardo da Vinci is another glorious surprise presented by the Consorzio to the people of Monza and to everyone who chooses to visit our city and the Reggia di Monza. With this portrait attributed to Leonardo we will be able to experience the magic and the mystery that make it one of the most fascinating works in the history of art, albeit one not so familiar to the general public.

I want to thank Vittorio Sgarbi and Regione Lombardia for helping to bring to fruition this project centring on a masterpiece produced more than 500 years ago by a true genius of art, innovation, and technology: Leonardo, a figure of whom we are all proud and who has contributed to creating the fame Italy enjoys in the world.

The evocative power of the work I am sure will be amplified for the viewer by the context in which we have decided to display it: the Throne Room and the Royal Apartments. Much admired by our visitors over the last few months, they can once again display their unique beauty, enhanced by the furnishings recently put back in place thanks to the work of the Consorzio and the Regional Commission for Historic and Artistic Heritage.

This work by Leonardo, exhibited in Villa Reale for the first time, is helping to maintain the very high quality the Consorzio is committed to ensuring in its activities, for art lovers and also for a wider audience. We intend to continue on this path so that Monza, which as a city has a great deal to offer, will be an unmissable destination not only for the many visitors expected during the months of Expo 2015, but also after the universal exhibition has ended.

Roberto Scanagatti
Mayor of Monza and President of the Consorzio Villa Reale e Parco di Monza

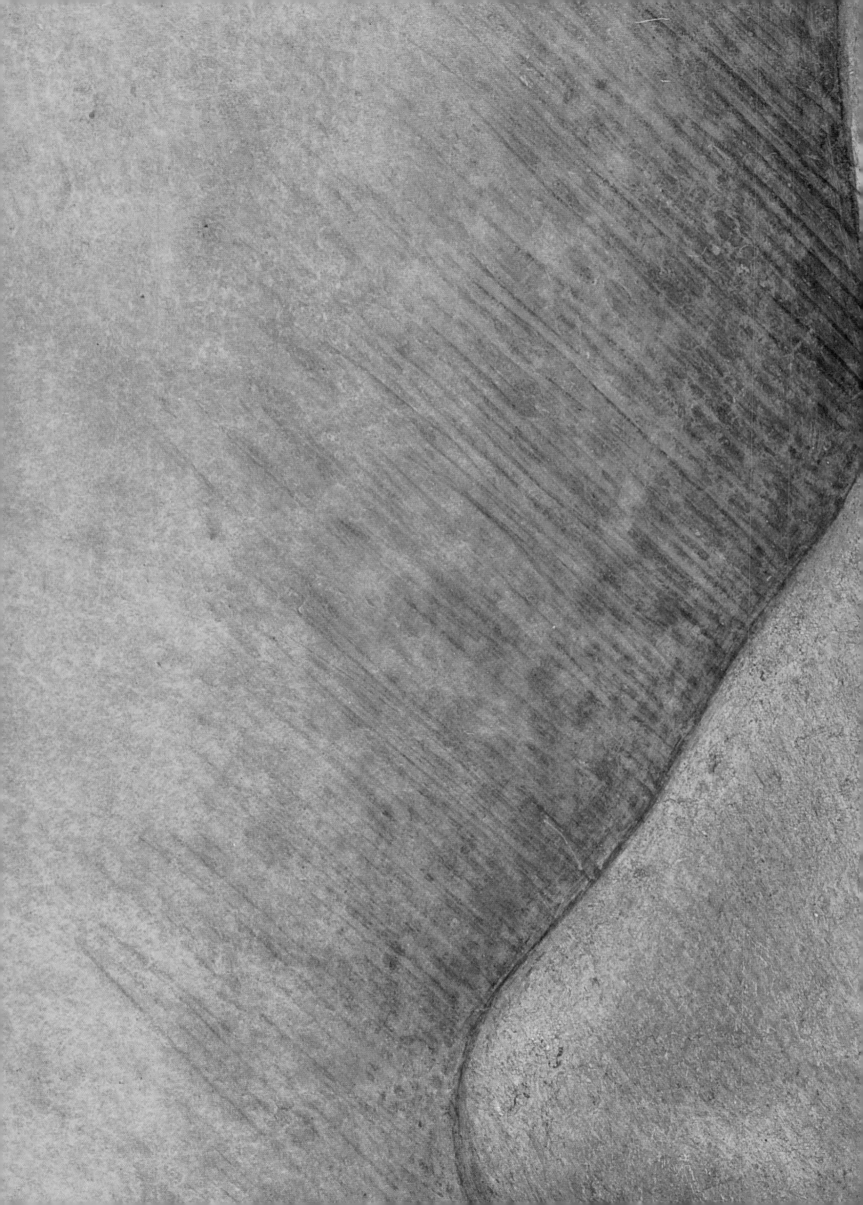

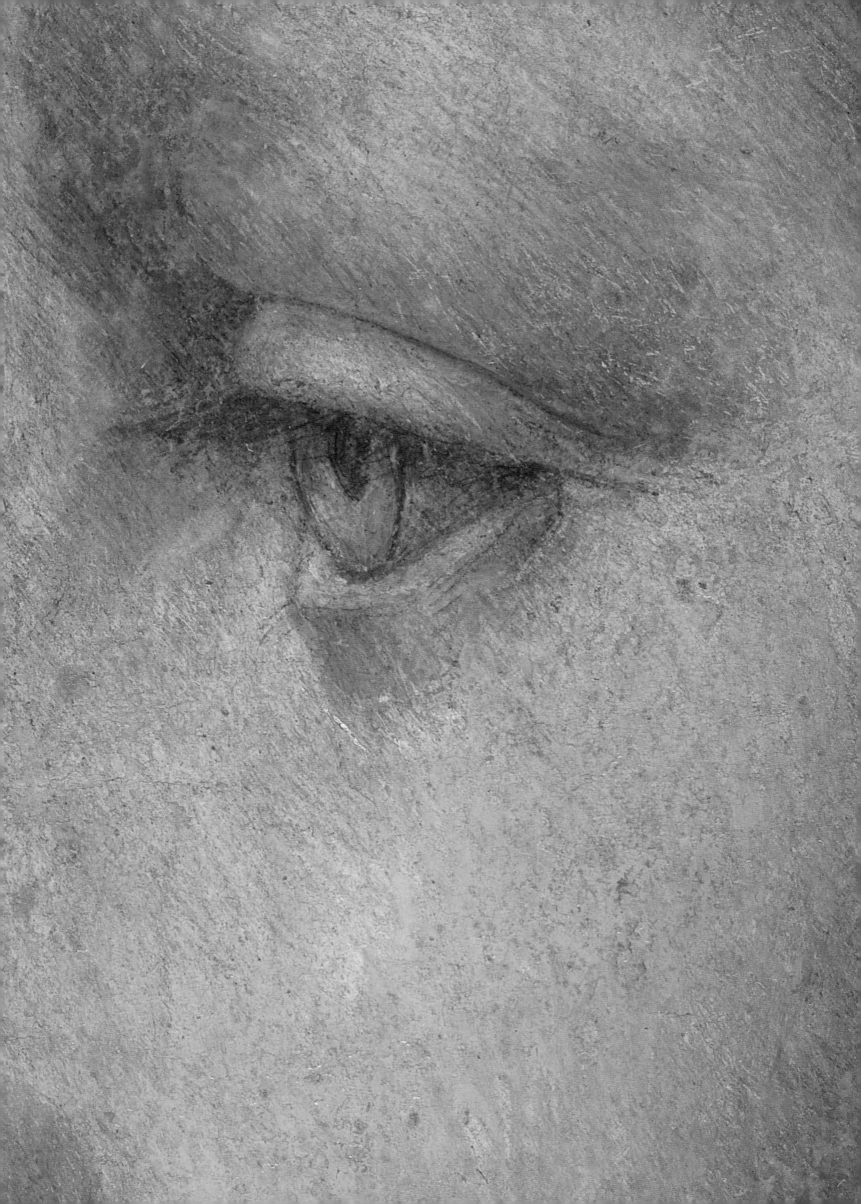

Introduzione

Vittorio Sgarbi

È una storia più appassionante di un romanzo, come spesso capita alle cose preziose, quella della Sforziade di Varsavia.

Opera imponente, viene composta dall'umanista Giovanni Simonetta, fratello dell'influente politico Cicco, in ricordo del suo signore da poco defunto, il duca Francesco Sforza, celebrandone in versi le imprese che resero grande Milano, compiute fra una metà e l'altra del Quattrocento. Muore ammazzato il successore di Francesco, il figlio primogenito Galeazzo Maria; Bona di Savoia sua vedova, concede di fatto la reggenza del ducato a Cicco Simonetta, in attesa che il figlio Gian Galeazzo, a cui la Sforziade, originariamente in latino, è dedicata, diventi maggiorenne. Ma Bona se ne pente, consentendo al temuto cognato, Ludovico Sforza, già esiliato a Pisa, di entrare in armi a Milano per liberarla da Cicco, che viene giustiziato, mentre Giovanni viene costretto a riparare a Vercelli. Non finisce però in disgrazia la Sforziade, visto che il poema glorifica pur sempre il pater patriae di cui il figlio Ludovico, noto a tutti come il Moro, si sente l'unico erede legittimo. Si succedono, così, le versioni dell'opera; una tradotta in italiano e stampata nel 1490, possiede, come le altre 3 versioni superstiti un ricco frontespizio di Giovanni Pietro Birago, fine miniatore di corte. La versione di Varsavia sembra essere stata consegnata al proprietario non prima dell'ottobre 1494, data della precoce morte di Gian Galeazzo, quando i fasti sforzeschi possono dirsi al termine. Ancora cinque anni, infatti, e il Moro, non certo estraneo al decesso di Gian Galeazzo che nel frattempo lo aveva lasciato solo al potere, viene cacciato dai francesi, che conquistano il ducato.

In parte per via della miniatura, che trattava il Moro in maniera meno generosa, alcuni storici hanno addirittura sostenuto che la Sforziade di Birago appartenesse in realtà a un membro della famiglia Sforza, Francesco (figlio di Gian Galeazzo e fratellastro di Caterina Riario), che si era opposto alla dinastia prima del golpe. Stando a questa teoria, anche il libro finì nelle mani di Luigi XII di Francia e rimase a far parte del lascito reale fino al 1518, quando il successore di questi, Francesco I, ne fece dono a Sigismondo I di Polonia per le sue nozze con la figlia di Gian Galeazzo, Bona Sforza, che era scappata con la madre dopo l'ascesa al potere del Moro. Ciò spiegherebbe la presenza del volume in Polonia. In base a un'altra teoria, il volume sarebbe appartenuto in principio a Galeazzo Sanseverino, comandante delle armate del Moro, a cui sarebbe stato donato per celebrare la sua unione con la giovane donna del ritratto, prima di passare in mano francese.

Ecco così spiegata la sua presenza in terra polacca; dalla corte reale di Cracovia, giunge, finalmente, attraverso Jan Zamoyski, eroe nazionale della rivolta anti-monarchia e uomo di cultura, nella Biblioteca Nazionale di Varsavia, dove peraltro, sopravvive a un incendio appiccato dagli infami occupanti nazisti, peregrinando lontano dalle sue mura prima che i pericoli alla sua incolumità possano dirsi esauriti.

LIBRO PRIMO DELLA HISTORIA DE

Potrebbe già bastare, e invece il meglio di questa storia deve ancora venire. Nel primo quaderno di 4 fogli dell'incunabolo di Varsavia manca un foglio intero (4 pagine) e metà di un altro (2 pagine). Usando i fori della cucitura come una guida possiamo far combaciare la pergamena del ritratto con quella nel primo quaderno. Come era facile immaginare, è una illustrazione, uno splendido ritratto femminile di profilo, realizzato a inchiostro, matite colorate e biacca, divenuto di proprietà del canadese Peter Silverman dopo essere passato per le mani di Giannino Marchig, pittore e restauratore triestino gradito a Berenson, e una vendita Christie's/New York del 1998 in cui viene presentato come opera di un artista tedesco sconosciuto del diciannovesimo secolo. Prima ancora che le indagini scientifiche, a cura, in particolare, di Pascal Cotte, ne certifichino la provenienza dalla Sforziade polacca, il ritratto viene preso in esame da un valente storico dell'arte, il britannico Martin Kemp, che ne sospetta subito l'autore, niente meno che in Leonardo.

Tutto, in effetti, sembrerebbe rimandare, all'interno dell'ambiente artistico sforzesco di fine Quattrocento, all'ambito diretto di Leonardo, trovando corrispondenze non solo formali, evidenti, ma anche tecniche nelle abitudini del genio di Vinci, come la resa dello sfumato mediante la pressione dei polpastrelli sul colore. Propone, Kemp, anche l'identificazione della Bella Principessa, come viene convenzionalmente ribattezzata la ritrattata, riconoscendola in Bianca Sforza, figlia illegittima poi riconosciuta dal Moro, sposatasi quasi bambina col condottiero Galeazzo Sanseverino nel 1496, nozze a cui alluderebbe il frontespizio del Birago.

Sfortuna vuole che la scoperta di Kemp e Cotte, accolta positivamente dalla maggior parte degli studiosi, capiti in un momento caratterizzato, specie in Italia, da una ricerca spasmodica dell'attribuzione leonardesca a fini di scoop giornalistico, dietro cui si nascondono, quando non speculazioni poco trasparenti, ingenuità disarmanti, regolarmente distribuite fra attributori – uno, il più conosciuto, ebbi modo di paragonarlo, in quanto a occhio critico, a un gatto nero cieco in una notte senza luna – e incauti diffusori delle loro panzane.

Alludo nello specifico, alle vicende che hanno impunemente preso sul serio ora il cosiddetto "Leonardo di Acerenza", ora il ritorno dal Giappone della sciagurata Tavola Doria, salutata con gli onori di Stato, ora, infine, una scialba scopiazzatura del leonardesco, quello si, ritratto di Isabella d'Este, adattato nella circostanza in una Santa Caterina. Possiamo stare tranquilli: la serietà della storia della Sforziade di Varsavia e della Bella Principessa è tutt'altra pasta rispetto alla barzelletta di quel gorgo di cialtronate. Si potrà ancora discutere sulla paternità anagrafica e artistica della Principessa, ma solo l'endemica, fisiologica superficialità dei mass media potrebbe trattarla alla stessa stregua delle "croste" sopra ricordate. Fidatevi, se non possedete sufficienti strumenti per capirlo da soli.

E COSE FACTE DALLO

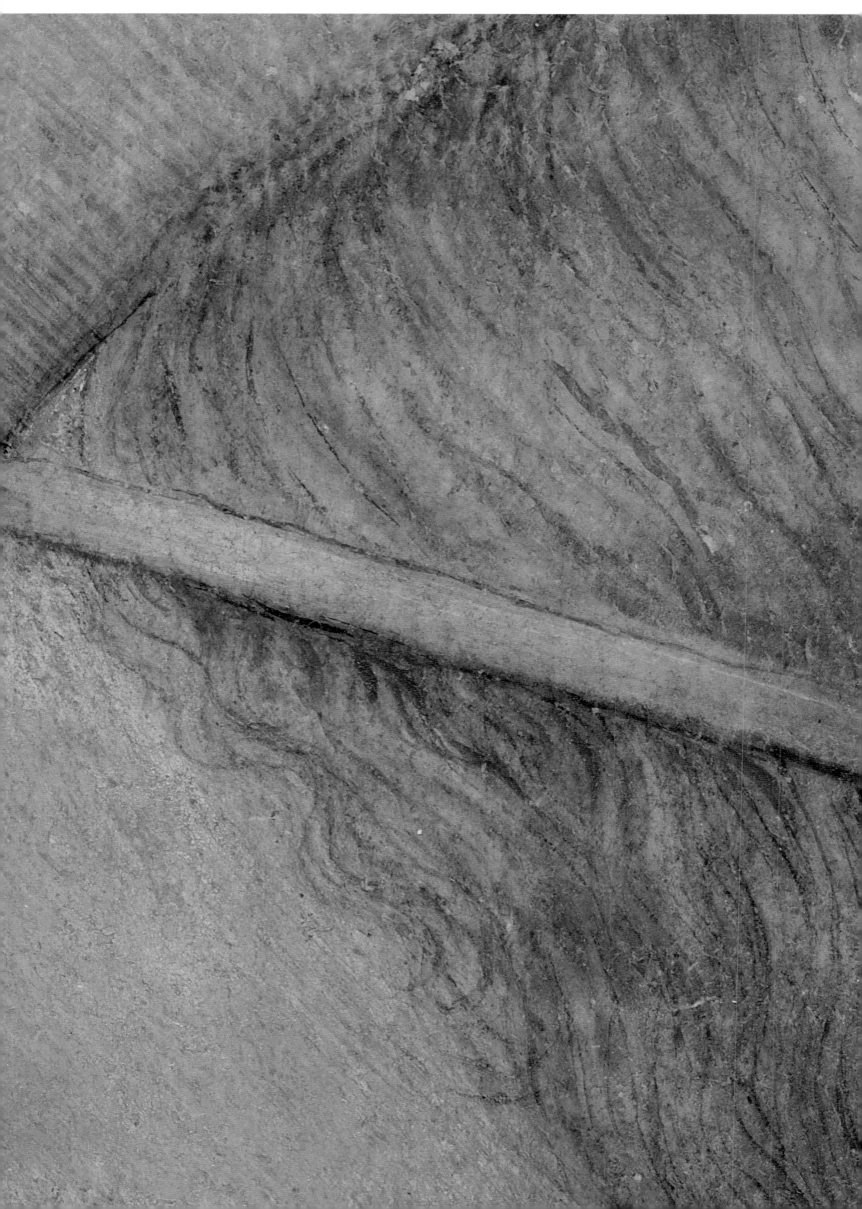

Un appunto per Leonardo

Mina Gregori

Mi si chiede da più parti di riferire quali sono stati gli argomenti essenziali che mi hanno portato ad attribuire fermamente a Leonardo il 'Ritratto di giovane donna' che ha recentemente occupato le cronache del mondo dell'arte.

Sono lieta di offrire una testimonianza, che dedico ai giovani, miei allievi e non, di quelle che sono state le mie reazioni quando mi sono trovata di fronte a questa pergamena incollata su una tavoletta /tavola 1/ (le misure sono mm 328 x 238, ritagliata da un quaderno, come indicava ad evidenza il bordo sinistro del foglio), e mi è stato possibile fra i primi studiosi di considerarla attentamente, tenendola persino tra le mani.

In seguito il ritratto è stato sottoposto a quelle indagini scientifiche che oggi sono indispensabili, ottenendo dei responsi favorevoli alla impegnativa attribuzione a Leonardo, che ha trovato vasti consensi di altri studiosi e specialisti (rimando allo scritto di Cristina Geddo, *Il 'pastello' ritrovato: un nuovo ritratto di Leonardo?*, in 'Artes', 14, 2008-2009, pp. 63-87).

La mia ispezione è stata esclusivamente visiva, condotta sulla superficie del foglio, secondo il modo tradizionale del conoscitore, oggi disatteso specie nelle Università o comunque non apprezzato, ma che ha consentito per secoli di formulare giudizi più o meno rapidi, frutto di associazioni visive e mentali che sono state scambiate per intuizioni, ma che sono fondate invece su precedenti esperienze e da definirsi come tali.

La prima domanda che mi sono posta avvicinando l'occhio al ritratto è stata quella relativa all'epoca in cui fu eseguito. Occorreva accertare intanto se la pergamena era antica. Il breve iscurimento e la naturale usura che presentava mi fecero concludere affermativamente. Potevo procedere oltre, pur consapevole che non si trattava di un elemento sufficiente poiché sappiamo che i falsari più scaltri hanno provveduto a usare supporti vecchi o invecchiati per scopi truffaldini.

Come sempre avviene, ho rivolto la mia prima attenzione al viso, e ne ho tratto la convinzione di essere di fronte a una creatura che nella sua pura bellezza ricordava il territorio immaginativo e la cultura del profilo ispirato all'antico - forse della testa o del mezzo busto -, che apparteneva agli scultori e ai pittori fiorentini del Quattrocento.

La datazione ancora all'ultimo decennio di quel secolo si confermava osservando il costume ornato e l'acconciatura con la treccia "a coazzone" della giovane donna che collocavano il ritratto in Lombardia quando Leonardo era al servizio di Ludovico il Moro, e in quel contesto si differenziava chiaramente come fascia cronologica e come concezione dagli esempi dei seguaci lombardi di Leonardo. L'occhio limpido e la sua trasparenza mi sono parsi corrispondere solo ad altri esempi della grafica leonardesca /tavole 2-4/.

Dopo aver rivolto il mio interesse allo sviluppo lineare del ritratto, ho notato l'esecuzione dei fini capelli nella parte più alta, la più conservata, della testa. Di pari livello, il colorito tenue della guancia, là dove appariva intatto, i passaggi sfumati e quasi impercettibili e la indicibile, inimitabile delicatezza mi hanno fatto pensare alle ben note caratteristiche del viso della Gioconda.

Altre osservazioni di vario ordine si sono affacciate allora alla mia mente, ma il ricordo che soprattutto ne ho tratto e che qui preme fermare è della sua semplicità essenziale e perentoria, pur arricchita dall'intento di approssimarsi alla realtà naturale, che è solo di un grande maestro. E questo maestro è Leonardo.

M. Gregori, *Un appunto per Leonardo*, in 'Paragone', 91 (723), 2010, pp. 3-4.

La bella principessa milanese

Cristina Geddo

Negli ultimi sei anni *La Bella Principessa* ha fatto molta più strada che nei precedenti cinque secoli, passando dall'opacità alla luce, per non dire alla trasparenza. Perché di questa preziosa pergamena di Leonardo, asportata da un lussuoso incunabolo sforzesco ma affiorata sul mercato solo nel 1998 con un'attribuzione fuorviante alla Scuola tedesca dell'Ottocento, oggi sappiamo quasi tutto.

Questa scoperta straordinaria non è stata solo frutto del caso, ma di un rigoroso e accanito percorso di indagini compiute autonomamente da un gruppo di studiosi indipendenti, senza barriere di nazionalità o di scuola, che hanno esplorato l'opera sia in ampiezza che in profondità, mettendo a frutto competenze e metodologie multidisciplinari, storico-artistiche, codicologiche e tecnico-scientifiche, all'avanguardia.

Grazie a questo proficuo confronto tra conoscenze umanistiche e scientifiche è stato possibile acquisire all'esiguo *corpus* di ritratti di Leonardo un capolavoro sconosciuto, che getta luce su una pagina inedita del primo periodo milanese del maestro toscano e della committenza di Ludovico il Moro, scoprendo il debito di Leonardo verso l'arte francese e recuperando un passaggio importante della storia delle tecniche del disegno in Italia. "Vous avez fait une véritable découverte, qui concerne aussi bien l'histoire de l'œuvre de Leonardo que l'histoire des techniques du dessin en Italie", commentava l'autorevole storico dell'arte Édouard Pommier nell'estate del 2008.

Il *Profilo di fanciulla* – poi felicemente battezzato da Martin Kemp "La Bella Principessa" – è un'opera che mozza il fiato. Nella mia esperienza professionale non avevo mai visto niente di più incantevole, né di più prossimo a Leonardo: tutto sembrava parlare di lui, escludendo di fatto ogni altra ipotesi di paternità. Tra gli allievi, i collaboratori e i seguaci che attorniavano il maestro a Milano nell'ultimo decennio del Quattrocento, epoca a cui rinviava l'acconciatura della modella, nessuno aveva mai raggiunto le armonie e le sottigliezze stilistiche e psicologiche che quell'opera rivelava.

La grazia della fanciulla, il suo occhio pensoso, trasparente, e la bellezza senza artificio (elogiata da Leonardo nel *Libro di Pittura*) sono infatti incompatibili tanto con la ritrattistica impacciata del Maestro della Pala sforzesca, quanto con quella descrittiva e ligia alle regole d'apparato di Ambrogio de Predis, mettendo fuori gioco anche l'eccentrico Francesco Napolitano e l'estroverso Marco d'Oggiono. Ma la sensibilità grafica e lo "sfumato" della *Bella Principessa* restano inaccessibili anche ai due maggiori ritrattisti leonardeschi attivi in quegli anni a Milano, Solario e Boltraffio, dotati entrambi di una forte personalità che non può essere confusa con quella del maestro.

Queste considerazioni alimentavano l'ipotesi dell'autografia vinciana, ma la ragione si rifiutava di seguire i suggerimenti dell'occhio, sia perché le bufale e i grandi nomi viaggiano di norma all'unisono, come insegnano le cronache del mondo dell'arte, sia perché, nel caso specifico di Leonardo, le possibilità reali di scoprire una nuova opera dell'artista più studiato al mondo e di uno dei meno prolifici erano, almeno così credevo, vicine allo zero.

In più, il *Profilo di fanciulla* si presentava come un caso particolarmente difficile e insidioso, tanto per la singolarità e complessità della tecnica utilizzata, quanto per la presenza di interpolazioni e restauri, che ne disturbavano la lettura pur senza comprometterne la bellezza. La mappa dei restauri, prodotta da Pascal Cotte del laboratorio parigino Lumiere Technology che ha curato il check-up completo della *Bella Principessa*, avrebbe poi permesso di distinguere le parti originali dai ritocchi successivi, fornendo uno strumento basilare di valutazione obiettiva dello stato dell'opera.

La mia prima reazione è stata quindi cauta e diffidente. Anche se il degrado della materia e i restauri invasivi suggerivano l'epoca rinascimentale del manufatto, sospettavo, o meglio temevo che si trattasse di un falso tardo ottocentesco o novecentesco: ma la considerazione "troppo bello per essere vero" si è poi convertita in "troppo bello per essere falso". Solo un falsario diabolico avrebbe infatti potuto competere con Leonardo, senza neppure l'appoggio di un modello (*La Bella Principessa* è un *unicum*), ed eguagliare un'opera di così grande bellezza.

In realtà, la qualità suprema e il carattere leonardiano del ritratto sono solo gli aspetti più appariscenti. Il *Profilo di fanciulla* rivela infatti, a un'osservazione attenta, altri quattro elementi fondamentali: il tratteggio

hatching; the sitter's coiffure; the way the portrait fits into Leonardo's artistic trajectory; and, last but not least, the technique used. The fact that these four elements are consistent and come together in a coherent and plausible whole constitutes solid proof of Leonardo's authorship.

First of all, the unequivocal "signature" represented by the lines drawn with the left hand, slanting towards the left, is in fact a unique trait of Leonardo's not shared by his pupils, all of whom were right-handed, and this automatically excludes them as possible candidates for the authorship of the portrait.

Second, the *coazzone* or pigtail, a hairstyle fashionable at the Sforza court in the last decade of the Quattrocento, and the so-called *nodi vinciani*, or "Vinci knots", decorating her dress, link the portrait to the time of Leonardo's first stay in Milan, when he was working in the service of Ludovico il Moro.

Third, *La Bella Principessa* fits naturally between *La Belle Ferronnière* (Ludovico's lover Lucrezia Crivelli), datable to around 1495-98, and the *Isabella d'Este* cartoon of 1500, in which Leonardo returns to the idea of the "absolute profile", which had attracted him since his Florentine period. It was a formula inspired by the portrait medals of Antiquity, in use in the Italian Renaissance courts and in particular the Sforza court, where it was mandatory for members of the duke's family.

Lastly, it is the innovative and experimental technique used in creating the portrait that provides decisive proof of Leonardo's authorship, to which the astonishing discovery that it came from a page of the *Sforziad* in Warsaw has added the final seal.

La Bella Principessa is actually produced with a mixed technique that uses the new dry *trois crayons* or "three chalks" process – black stone, red stone and white chalk – in association with the traditional liquid medium of pen and ink, with which the entire drawing has been strengthened. The combination of black, red and white on the yellowish base of the hair side of the vellum produces an almost naturalistic colouring, which, although dulled by the water-based colours used in the restoration, has an effect very similar to pastel. It is no coincidence that pastels are considered to have come out of the "trois crayons" technique, emerging in France around the middle of the Quattrocento but only coming into their own in the following century with the two Clouets and Hans Holbein. The technique was completely unknown in Italy at the end of the Quattrocento. The first to try it and perfect it would indeed be Leonardo, a genius obsessed with problems of technique and experimentation, as two crucial passages in his manuscripts testify.

In a memorandum written in cipher in the *Atlantic Codex* (f. 669r), known as the "Ligny Memorandum" – datable to 1494 or 1499 – Leonardo resolves to learn the new dry-colouring technique from the French painter Jean Perréal, in Milan at the time with the King of France's army: "Get from Gian of Paris the way to draw with dry colour... and his box of colours. Learn the tempera of flesh tones. Learn to dissolve gum lake" (shellac, still used today as a pastel fixative).

In another, evidently later, passage in the *Forster Codex II* (f. 159r), Leonardo notes the recipe for making crayons (pastels in the modern meaning of the term), binding the powdered colours with wax: "To make points for dry colouring, mix with a little wax and it won't drop...". And so we discover that the invention of wax crayons, of unknown origin until now, also goes back to Leonardo.

Proof that Leonardo tried out the new drawing process learnt from Perréal, and that he fine-tuned it and passed it on to his students as early as 1500, is provided by a significant *corpus* of pastel drawings by Boltraffio, Solario, Giampietrino, Luini, and others, which shows that a fully-fledged Leonardesque pastel school existed and was active in Milan in the first quarter of the Cinquecento.

La Bella Principessa, I believe, played a fundamental role in all this: it turns out to be a key work in Leonardo's artistic journey, providing the earliest evidence of the experimental use of pastel and the "*incunabulum*" of pastel in Italy.

This marvellous portrait, back home after five hundred years of obscurity, shows that there are still unexplored aspects of Leonardo's inexhaustible creative spirit, thus we are still a long way from reaching the limits of discovering the great master's works and inventions.

29

* See mainly Martin Kemp, Pascal Cotte et al., *"La Bella Principessa" di Leonardo da Vinci, ritratto di Bianca Sforza*, Prefazione di Nicholas Turner, Firenze, 2012 (I ed. London, 2010), to be read in conjunction with: Alessandro Vezzosi con la collaborazione di Agnese Sabato, *Leonardo infinito*, Introduzione di Carlo Pedretti, Reggio Emilia, 2008, pp. 10-11, 138-142; Cristina Geddo, *Il 'pastello' ritrovato: un nuovo ritratto di Leonardo?*, in "Artes", 14, 2008-09, pp. 63-87 (also available in https://independent.academia.edu/geddocristina1; English version in http://www.lumiere-technology.com/Artes14.pdf); Mina Gregori, *Un appunto per Leonardo*, in "Paragone", 61, 2010, pp. 167-168, tav. 99, and her contribution to the present catalogue; Martin Kemp, *Leonardo da Vinci. Ritratto di Bianca Sforza, La Bella Principessa*, Introduzione di Vittorio Sgarbi, catalogo della mostra (Lugano, Palazzo Civico), Reggio Emilia, Scripta Maneant, 2015.

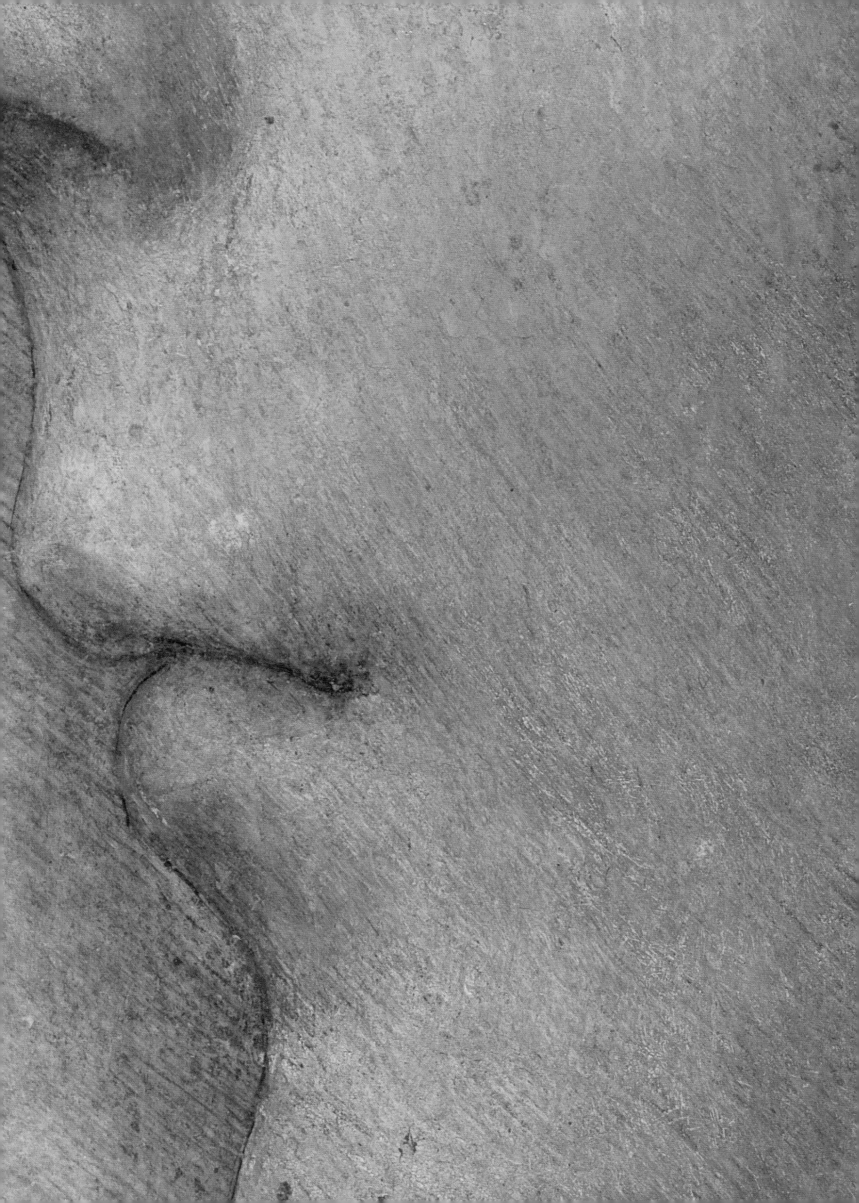

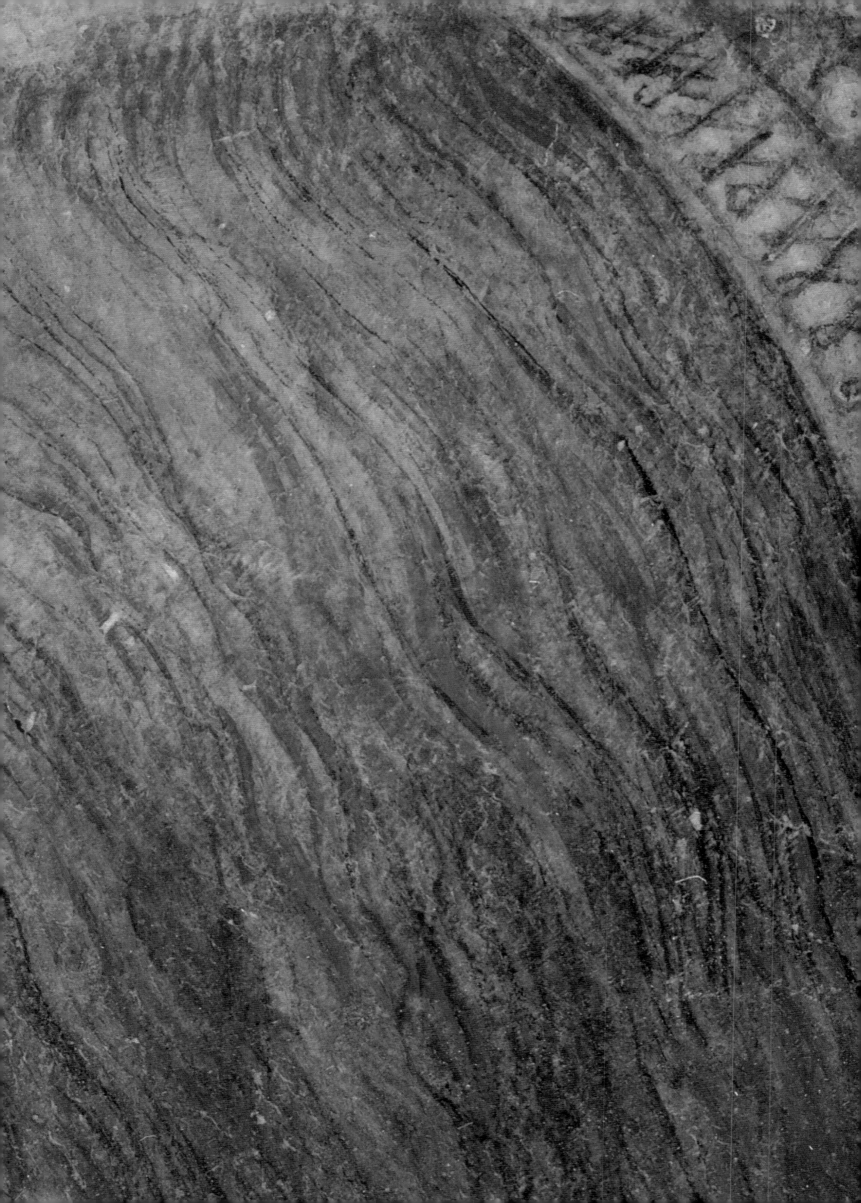

Martin Kemp
LEONARDO DA VINCI
Ritratto di Bianca Sforza "La Bella Principessa"

Martin Kemp
LEONARDO DA VINCI
Ritratto di Bianca Sforza "La Bella Principessa"

1496
Penna, inchiostro bruno e gessetti colorati su pergamena. 330 x 239 mm.
Montato su supporto ligneo. Collezione privata.
In precedenza a Ginevra, Collezione di Giannino e Jeanne Marchig.

Bibliografia sul ritratto:
Alessandro Vezzosi, *Leonardo Infinito: La vita, l'opera completa, la modernità*, Bologna, 2008; Cristina Geddo, "Il 'pastello' ritrovato: un nuovo ritratto di Leonardo", in «Artes», XIV, 2008-9, pp. 63-87; Mina Gregori, "Un appunto per Leonardo", in «Paragone», LXI, 2010, pp. 3-4; Martin Kemp e Pascal Cotte, *La Bella Principessa. The Story of the New Masterpiece by Leonardo da Vinci*, Londra, 2010; Elisabetta Gnignera, *I Soperchi Ornamenti. Copricapi e acconciature femminili nell'Italia del Quattrocento*, Siena, 2010, pp. 168-79; Peter Silverman con Catherine Whitney, *Leonardo's Lost Princess*, Hoboken (NJ), 2010 (edizione italiana: *La principessa perduta di Leonardo*, Milano, 2012); Martin Kemp e Pascal Cotte, *La Bella Principessa di Leonardo da Vinci. Ritratto di Bianca Sforza*, Firenze, 2012 (edizione italiana rivista e aggiornata del volume di Kemp e Cotte del 2010); Simon Hewitt, *Leonardo da Vinci and the Book of Doom – Bianca Sforza, the* Sforziadas *and Artful Propaganda in Renaissance Milan* (di prossima uscita); Pascal Cotte: http://www.lumiere-technology.com/discoveries.html; Katarzyna Woźniak: https://sites.google.com/site/labellaprincipessacom/home

Bibliografia sulla *Sforziade*
Bogdan Horodyski, "Miniaturzysta Sforzów", in «Biuletyn Historii Sztuki», 1954, pp. 195-214, e "Birago, Miniaturiste des Sforza", in «Scriptorum», X, 1956, pp. 251-5; Mark Evans, "New Light on the 'Sforziada' Frontispieces of Giovan Pietro Birago", in «British Library Journal», XIII, 1987, pp. 232-47; Elizabeth McGrath, "Ludovico il Moro and His Moors", in «Journal of the Warburg and Courtauld Institutes», LV, 2002, pp. 67-94; David R. Edward Wright: https://sites.google.com/site/labellaprincipessacom/home/leonardo-da-vinci/la-bella-principessa/sforziad-birago-simonetta/books-articles/provenance/provenance---ludovico-il-moro-and-sforziad

In principio c'era il ritratto, che pareva essere venuto dal nulla. Eseguito con inchiostro e gessetti colorati su un foglio di pergamena e montato su un'antica tavola di quercia, sembrava non avere storia. Capire di cosa si trattasse e chi l'avesse realizzato era necessariamente una questione da conoscitori. Catalogato come un anonimo *pastiche* tedesco del primo Ottocento con il titolo "Head of a Young Girl in Profile to the Left in Renaissance Dress" (Testa di giovane donna di profilo a sinistra in abito rinascimentale), era comparso per la prima volta in un'asta di disegni di maestri antichi da Christie's, a New York, il 30 gennaio 1998, e come tale era stato acquistato da una mercante d'arte del posto, Kate Ganz, per 21.850 dollari – un prezzo decisamente alto per un'opera così descritta. Apparentemente, Ganz non era riuscita a fare progressi in merito alla sua attribuzione e nel 2007 il collezionista Peter Silverman lo aveva comprato da lei.

Ritenendo che potesse essere opera di Leonardo, Silverman mostrò il ritratto a diversi specialisti, tra cui Nicholas Turner, uno dei maggiori esperti in disegni di maestri antichi, che ne confermò la paternità in una relazione scritta. Come opera di Leonardo il ritratto venne pubblicato da Alessandro Vezzosi e Cristina Geddo. Nella sua introduzione al volume di Vezzosi, Carlo Pedretti salutò l'attribuzione con simpatia, seppur cautamente. Il ritratto, nel frattempo, veniva sottoposto a minuziosi esami tramite scansione multispettrale nel laboratorio

Ricostruzione della posizione della *Bella Principessa* nella *Sforziade* di Varsavia.

un riferimento al segno che Dio diede a Gedeone nel Libro dei Giudici, a indicare che era stato scelto il soldato che avrebbe salvato Israele: una mattina, il vello di Gedeone era risultato miracolosamente imbevuto di rugiada, tanto da poter essere strizzato, laddove il terreno circostante era rimasto asciutto, mentre il giorno seguente era accaduto il contrario. Galeazzo – il soldato – può quindi a ragione venire identificato con il personaggio a cui va collegato lo scudo così sorretto.

Di seguito si osservano un putto con piffero militare e tamburo e un altro ampio scudo inquartato con le onde araldiche, comuni sia agli Sforza che ai Sanseverino, e con il vascello dello Stato guidato da un uomo nero, un'allusione al soprannome "il Moro" con cui veniva chiamato Ludovico. Intorno al fonte in fondo alla fascia di destra si legge l'iscrizione P[RE]SB[YTE]R IO[HANNES] PETRU[S] BIRAGUS FE[CIT]: questa è la conferma che fu il "presbitero" Giovanni Pietro Birago a realizzare le miniature.

Per il lungo *tableau* in fondo alla pagina Birago congegnò una delle sue caratteristiche sciarade con infanti. Il Moro siede al centro della scena su un piedistallo, mentre un uomo "bianco" e una giovane "moresca" dai capelli biondi avanzano sulla sinistra. La coppia può essere identificata con Galeazzo Sanseverino e Bianca Sforza. Con chiare allusioni alla Bibbia, i testi esortano i due a imitare Dio attraverso l'esempio di Cristo, a "portare frutto" e ad affidarsi a lui per venire redenti. Dei vivaci conigli sottolineano la potenziale fecondità della loro unione. L'infante con tonsura difronte a Galeazzo, a cui è destinato il cappello vescovile tenuto da Ludovico, è probabilmente il vescovo Federigo Sanseverino, fratellastro di Galeazzo. Di più difficile individuazione risulta invece l'identità degli altri infanti, che raffigurano probabilmente membri delle famiglie Sforza e Sanseverino.

Sulla fascia di sinistra, una corazza romana vuota è sovrastata da una serie di grandi perle, della specie molto apprezzata nella corte sforzesca. Seguono quindi nell'ordine ancora un esemplare degli anelli intrecciati, il buratto e un putto che suona una lira da braccio. In alto compaiono due scudi incrociati raffigurati di lato e recanti l'iscrizione G e Z, ancora per Galeazzo, sui quali poggia un elmo alato. Mentre la fascia di destra ha un tono militare e dinastico, quella di sinistra sembra più orientata agli ideali della pace e dell'amore.

Partendo dal perspicace suggerimento di Wright, era naturale domandarsi quanto fosse possibile trovare prove concrete che confermassero una relazione tra il ritratto su pergamena e l'esemplare della *Sforziade* di Varsavia, dello stesso materiale. Le dimensioni di incunabolo e ritratto erano compatibili, ma era necessario portare alla luce indizi più specifici. Un esame minuzioso del volume condotto da Cotte e Kemp nella città polacca ha mostrato che ogni quaderno del volume consisteva originariamente di 4 fogli ripiegati a metà e inseriti l'uno nell'altro, formando un totale di 8 carte e 16 pagine. Tuttavia, al primo quaderno mancano un intero foglio e la carta di un altro. Tenendo conto della spaziatura, tre dei cinque fori da ago nel primo quaderno corrispondono approssimativamente ai tre fori appena visibili sul margine del foglio sul quale è stato eseguito il ritratto. L'inserimento di un facsimile del disegno nel punto in cui sarebbe dovuto essere ne ha dato la conferma. La pagina vuota che avrebbe dovuto precedere il ritratto risulta essere stata rimossa, mentre la carta singola rimasta, che contiene testo, è stata incollata a quella successiva lungo il margine interno. Vista la composizione del primo quaderno e la corrispondenza del ritratto con il volume è molto probabile che il ritratto fosse originariamente proprio la carta 8 recto della *Sforziade* di Varsavia, con il verso senza testo che veniva seguito dalla carta di *incipit* miniata da Birago.

Alla luce delle prove raccolte è possibile a questo punto affermare di sapere più cose in merito alle circostanze che hanno portato alla commissione dell'immagine che non nel caso di altri ritratti di Leonardo. Possiamo ora cominciare a capire come il tutto funzioni.
Una giovane donna, dall'aspetto delicato, viene ritratta di profilo in un atteggiamento riservato, con i capelli elegantemente acconciati e raccolti indietro in una reticella dalla quale fuoriesce il *coazzone*, una coda legata stretta.

41

Sovrapposizione digitale della Bella Principessa con i fori della rilegatura della Sforziade.

Un nastro sottile intorno alla nuca tiene ferma la reticella. L'abito è semplice ma ornato alla maniera allora in voga con un motivo geometrico a nodi. La donna può essere identificata come un membro della corte sforzesca, dove il *coazzone* era diventato d'obbligo e l'intreccio a nodi era molto diffuso, anche nei motivi ideati da Leonardo. È appena giunta alla soglia della pubertà: questo significa che può passare dallo stato di promessa sposa a quello di moglie di un aristocratico, nelle modalità allora in vigore presso le corti italiane. Tutto ciò risulta pienamente in linea con l'identificazione della modella con Bianca Sforza, la giovanissima moglie di Galeazzo Sanseverino.

Il suo profilo è stato eseguito a inchiostro, con una perfezione minuziosa e sensibile. Il finissimo tratteggio sullo sfondo, realizzato da un artista mancino con tratti a penna paralleli, dona particolare risalto al volto. Il tratteggio è stato ripassato da un'altra mano in un secondo momento. I toni dell'incarnato, finemente modulati, sono stati ottenuti dalla sovrapposizione dei gessetti bianco e rosso e risultano sfumati con la mano dell'artista. In alcuni punti l'incarnato è stato ritoccato sia con pastelli che con pigmenti pittorici. L'occhio, reso radiante dal colore naturale della pergamena sullo sfondo, è tracciato con semplice eleganza, le palpebre sono orlate da ciglia incredibilmente sottili e incurvate. Da un ulteriore esame scientifico eseguito da Cotte, sappiamo che l'artista ha inizialmente tracciato tutto l'ellissi dell'iride prima di coprirne un terzo, quello in alto, con il pigmento opaco, a base di bianco, usato per la palpebra superiore. I capelli raccolti della modella, ritoccati in parte successivamente, sono resi in morbide onde nella maniera tipica di Leonardo e la loro finezza è tale da permettere di intuire l'orecchio sottostante. Laddove non sono tenuti stretti dai nastri che scendono a spirale lungo la coda, essi si rigonfiano lievemente.

La formalità del profilo potrebbe sembrare sorprendente, viste le pose innovative degli altri profili femminili eseguiti dall'artista a Firenze e a Milano. Tuttavia, il profilo era d'obbligo per i reggenti e per la cerchia dei loro famigliari. Leonardo aveva dovuto attenersi alla regola anche nel 1500 quando, in visita a Mantova, aveva eseguito lo studio per un ritratto di Isabella d'Este, che non vide mai la realizzazione come dipinto. L'aspetto meno felice del ritratto di Bianca – i contorni piuttosto sgraziati e la modellatura poco convincente della spalla e del seno – è soprattutto il risultato di un restauro per nulla contenuto. Leonardo avrebbe di certo evitato di dare alla spalla quel tipo di plasticità rigorosa che avrebbe privato il volto della dovuta attenzione. Al contrario, egli avrebbe suggerito la presenza corporea della modella in maniera più sensibile e con maggiore maestria che non come appare ora.

I materiali usati sono di certo insoliti, sebbene Leonardo abbia realizzato illustrazioni su pergamena per il prezioso manoscritto *De divina proportione* di Luca Pacioli nel 1498, di cui Galeazzo Sanseverino era il dedicatario. Essendogli stato commissionato il ritratto per il codice in pergamena della *Sforziade*, l'artista optò per materiali che gli fossero congeniali. Avrebbe potuto adottare la tecnica tradizionale per la miniatura con pigmenti dai toni accesi, come fatto da Birago, ma volle ricorrere al "modo di colorire a secco" con gessetti colorati che si era ripromesso di imparare dall'artista francese Jean Perréal, che nel 1494 era stato in visita a Milano al seguito di Carlo VIII. Da grande innovatore qual era, preferì certamente la precisione infinitesimale che la modellatura con i morbidi gessetti colorati rendeva possibile per evocare al massimo la fragile bellezza della giovane sposa. Egli era chiaramente riuscito nell'intento di imparare da Perréal a legare i pigmenti dei gessetti usati per l'incarnato e a sciogliere la gomma arabica ("Impara la tempera delle cornage. Impara a dissolvere la lacca gomma"). La gommalacca serviva sia a imprimere la pergamena che a fissare i gessetti.

Per quanto notevoli siano stati i risultati formali raggiunti da allievi, assistenti e colleghi di Leonardo, nessuno di loro mostra di essere riuscito a combinare come lui la squisita abilità manuale, l'uso sperimentale dei materiali, l'acume d'osservazione e la straordinaria sensibilità per la fisicità dell'incarnato, dei capelli e dei nastri. Possiamo ora apprezzare appieno come e perché egli abbia dato vita a questo capolavoro intimo e altamente innovativo nel ritrarre l'amata figlia del duca Ludovico, nonché giovane sposa di Galeazzo Sanseverino. E questo capolavoro è ora pronto a occupare un posto speciale nell'eccezionale *corpus* delle opere dell'artista.

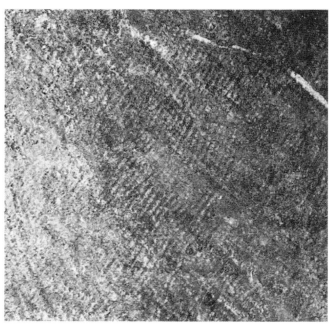

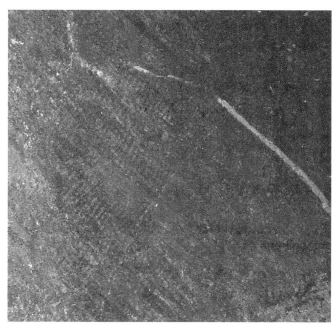

Particolare dell'impronta del palmo presente sul collo della *Bella Principessa*.

Martin Kemp
LEONARDO DA VINCI
Portrait of Bianca Sforza "La Bella Principessa"

Martin Kemp
LEONARDO DA VINCI
Portrait of Bianca Sforza "La Bella Principessa"

1496
Pen and brown ink, and coloured chalks on vellum. 33.0 x 23.9 cm., laid down on a wooden panel, private collection. Formerly Geneva, Collection of Giannino and Jeanne Marchig.

Literature on the portrait:
Alessandro Vezzosi, *Leonardo Infinito: La vita, l'opera completa, la modernità*, Bologna, 2008; Cristina Geddo, "Il 'Pastello' Ritrovato: Un Nuovo Ritratto di Leonardo", *Artes*, XIV, 2008-9, pp. 63-87; Mina Gregori, "Un appunto per Leonardo," *Paragone*, LXI, 2010), pp. 3-4; Martin Kemp and Pascal Cotte, *La Bella Principessa. The Story of the New Masterpiece by Leonardo da Vinci*, London, 2010; Elizabetta Gnigniera, *I Soperchi Ornamenti. Copricapi e Acconciature Femminili nell'Italia del Quattrocento*, Siena 2010, pp. 168-79; Peter Silverman with Catherine Whitney, *Leonardo's Lost Princess*, Hoboken (NJ), 2010; Martin Kemp and Pascale Cotte, *La Bella Principessa di Leonardo da Vinci. Ritratto di Bianca Sforza*, Florence, 2012; Simon Hewitt, *Leonardo da Vinci and the Book of Doom – Bianca Sforza, the* Sforziadas *and Artful Propaganda in Renaissance Milan* (forthcoming); Pascal Cotte: http://www.lumiere-technology.com/discoveries.html; Katarzyna Woźniak: https://sites.google.com/site/labellaprincipessacom/home;

Literature on the *Sforziada*:
Bogdan Horodyski, "Miniaturzysta Sforzów, *Biuletyn Historii Sztuki*, Warsaw 1954, pp.195-214, and "Birago, Miniaturiste des Sforza" *Scriptorum*, X, 1956, pp.251-5; Mark Evans, 'New Light on the "Sforziada" Frontispieces of Giovan Pietro Birago", *British Library Journal*, XIII, 1987, pp. 232-47; Elizabeth McGrath, "Ludovico il Moro and His Moors", *Journal of the Warburg and Courtauld Institutes*, LV, 2002), pp. 67-94; D.R. Edward Wright: https://sites.google.com/site/labellaprincipessacom/home/leonardo-da-vinci/la-bella-principessa/sforziad-birago-simonetta/books-articles/provenance/provenance---ludovico-il-moro-and-sforziad

In the beginning there was the portrait. It seemingly came from nowhere. Executed in ink and coloured chalks on a sheet of vellum laid down on an old oak board, it came with no back-history. What it was and who produced it were necessarily a matter of connoisseurship. It made its first appearance in Christie's old master drawings sale in New York on 30 January 1998, catalogued as a German early 19th-century *Head of a Young Girl in Profile to the Left in Renaissance Dress*. It was purchased by the New York dealer Kate Ganz for $21,850, which is a notably high price for an anonymous German pastiche. She seemingly made no progress with its attribution, and in 2007 the collector Peter Silverman bought it from Ganz.

Silverman, thinking that it was a fine Renaissance drawing, showed it to a number of specialists. Nicholas Turner, a major expert in old master drawings, reported to Silverman that it was by Leonardo, and it was published at such by Alessandro Vezzosi and Cristina Geddo. Vezzosi's book is introduced by Carlo Pedretti, who reviews the attribution with guarded favour. The portrait was examined in minute detail by multi-spectral scanning in Pascal Cotte's Paris studio, and he collaborated with Martin Kemp on a monograph, looking at all aspects of the image: its style in relation to other works by Leonardo; its technique as a coloured drawing on vellum; its relationship to other portraits of women at the Sforza court in Milan, including the sitter's hair style and costume; and the possibility that she might be Bianca Sforza, the illegitimate daughter of Ludovico Sforza, who tragically died as a 13 or 14 year-old after her marriage to Galeazzo Sanseverino in 1496. Cotte's technical examination disclosed aspects of the technique that were characteristic of Leonardo, not least the use of the edge of his right hand to blend the modelling of the sitter's flesh. A series of *pentimenti* were revealed, most notably behind her head, and the extensive later re-touching of damaged areas became very apparent. Her dress has particularly suffered. Cotte also demonstrated how three stitch holes in the left margin testified that the vellum sheet had been excised from a manuscript or book of some kind. The carbon dating of the vellum proved to be consistent with the portrait's possible execution by Leonardo.

Concurrently, details were emerging about the portrait's provenance. It had been committed for sale at Christie's by Jeanne Marchig, widow of Giannino, a painter and well-regarded international restorer, working in Florence and then in Geneva. Giannino had built up a personal collection of Italian art, and considered that the portrait was by Domenico Ghirlandaio. On learning that Christie's attribution of it to a German pasticheur seems to be very wrong, she took legal action against the auctioneers, an action that ran up against the technical issue of the delay in her taking action after the sale. Eventually, Christie's and Marchig settled out of court. A key point of dispute was the removal of the portrait's frame, a rather poor photograph of which has recently emerged.

There matters might have rested were it not for the intervention of D.R. Edward Wright, Emeritus Professor at the University of Southern Florida. Following up the suggestion that the sitter might be Bianca Sforza, he proposed that it could have come from a vellum copy of a printed book now the National Library of Poland. Published in Milan by Antonio Zarotto in 1490, Giovanni Simonetta's *Commentarii rerum gestarum Francisci Sfortia* was written as a eulogistic account of the life and deeds of Francesco Sforza. Ludovico, Francesco's second son, ordered an Italian translation by the great Florentine man of letters, Cristoforo Landino. Four presentation volumes of the translation were specially printed on expensive vellum (parchment) and richly adorned by one of the most individualistic and delightful of Renaissance illuminators, Giovanni Pietro Birago. The version in Warsaw was produced specifically for Bianca's marriage with Galeazzo Sanseverino, the aristocratic commander of Ludovico's Milanese forces. We do not know precisely how the *Sforziada* came to be in Poland, but there were dynastic links between Warsaw and Milan in the 16ᵗʰ century. We do know that it was in the major Polish library of Jan Zamojski, who died in 1605.

The spirited title-page by Birago contains a feast of iconography, with a rich series of allusions to the ideals and aspirations of Ludovico and his daughter and son-in-law. In a roundel at the centre of the top panel is a white greyhound, one of Francesco's *imprese*. The roundel is serenaded by two maritime *putti*, one with a lyre and their other with two bladder pipes. At the top of the right border is the shield of Roberto Sanseverino of Naples. A pair of stylised dolphins support two sets of entwined diamond rings, an emblem used by the Sforza, as well as by Roberto Sanseverino and the Medici. The pair of hanging shields are inscribed "GZ" for Galeazzo Sanseverino, son of Roberto. Galeazzo's own shield, supported by *putti* in the guise of pugnacious wild-men with clubs, bears a sifting cloth (Gideon's Fleece) that is being wrung out by a pair of hands. The reference is to the sign that God gave to Gideon in the Book of Judges to indicate that the soldier had been chosen to save Israel. The cloth was miraculously saturated by dew when there was none on the ground.

Next comes a naked child with a military fife and drum, and another large shield quartered with the heraldic waves common to Sforza and Sanseverino, and the ship of state steered by a black man – alluding to Ludovico's nickname as "Il Moro" ("the moor"). Around the font at the base of the right margin runs the inscription, P[RE]SB[YTE]R IO[HANNES] PETRU[S] BIRAGUS FE[CIT], which confirms that the "presbyter" Giovanni Pietro Birago undertook the illuminations.

For the long panel across the bottom, Birago devised one of his characteristic charades performed by children. "Il Moro" sits on a plinth at the centre. A white man with a blond-haired "moor" enters from the left. The couple is identifiable as Galeazzo Sanseverino and Bianca Sforza. The texts, alluding to the Bible, exhort the couple to imitate God via Christ, "to bring forth fruit" and to dedicate themselves to God for redemption. Alert rabbits underline the potential fruitfulness of the union of Galeazzo and Bianca. The tonsured infant in front of Galeazzo is probably identifiable as Bishop Federigo Sanseverino, half brother of Galeazzo, the intended recipient of the Cardinal's hat held by Ludovico. The identities of the parts played by the other children are more difficult to determine but are likely to be members of the Sforza and Sanseverino families.

Above a discarded roman cuirass at the bottom of the left margin are a series of large pearls of the kind that were much prized in the Sforza court. Then comes another set of entwined rings and Gideon's fleece, above which is a *putto* playing as *lira da braccio*. At the top are two crossed shields viewed from the side and inscribed G and Z (for Galeazzo), with a winged helmet, also inscribed GZ. While the right margin is militaristic and dynastic, the left seems more aligned with peace and love.

A natural question followed Wright's prescient proposal. Could physical evidence be found that would confirm the association of the portrait on vellum with the vellum copy of the *Sforziada* in Warsaw? The sizes of the image and the book aligned well, but more specific evidence was necessary. A close examination of the book in Warsaw by Cotte and Kemp showed that each of the quires in the book originally consisted of 4 interleaved double sheets comprising 8 folios and 16 pages. However, the book's first quire has been diminished by the removal of one folded double sheet and one folio of another double sheet. The spacing of three of the five stitch holes in the first quire correspond closely to the three holes that are still just visible at the edge of the sheet on which the portrait is drawn. This matching was confirmed by the insertion of a facsimile of the portrait into the gap from which it would have come. The blank page that would have originally faced the portrait has been removed, and the remaining page of this double sheet, which contains text, has been pasted in at its inner margin. Given what has happened to the first quire and the matching of the portrait with the book, it is highly likely that the portrait was originally folio 8 recto in the Warsaw *Sforziada*, with its blank verso followed by the Birago title-page.

In the light of the accumulated body of evidence, we can now claim to know more about the circumstances behind the commissioning of the image than we do about Leonardo's other portraits. We can now understand how it works.

A tender young woman is portrayed in reticent profile, with finely dressed hair gathered at the back in a net caul from which hangs a *coazzone*, a tightly-bound pigtail. A narrow band across her forehead restrains the rear of the caul. Her dress is simply but stylishly adorned with interlaced knot motifs. She is recognisable as a member of the Sforza court, where the *coazzone* had become *de rigueur*, and where the knot motif was particularly favoured, not least in the designs of Leonardo. She has just arrived at the age of puberty, meaning that she is eligible to pass from the status of one who is betrothed to become the wife of an aristocrat, in the manner that was customary in the Italian courts. All this is entirely consistent with her identification as Bianca Sforza, the very young wife of Galeazzo Sanseverino.

Her profile is rendered in ink with delicate and subtle perfection. It is given relief by the very fine background hatching in parallel pen strokes by the left-handed artist. The hatching has been reinforced by a later hand. The gently modulated flesh tones, compounded from white and red chalks, have been blended with the assistance of the artist's hand. In places her flesh has been re-touched with both pastel and painted pigment.

Her eye, rendered radiant by the background tone of the vellum is described with simple elegance, her lids fringed by incredibly fine, curving eyelashes. We know from further technical examination by Cotte, that the artist originally drew the complete ellipse of her iris, before covering its upper third with the opaque white-based pigment of her upper eyelid. The sitter's gathered hair, which has been retouched, flows in liquid waves, in a way entirely characteristic of Leonardo, and its fineness allows a glimpse of her ear beneath. The hair in her pigtail springs into shallow bulges where it is not held tightly in place by the spiral ribbons.

The formality of the profile might seem surprising, given the innovatory poses of Leonardo's other portraits of women in Florence and Milan. However, the profile was obligatory for portraits of rulers and their immediate family. Even Leonardo was constrained to use the profile when he visited Mantua in 1500 and produced a cartoon for a portrait of Isabella d'Este, which was never turned into a painted image. The least happy aspect of the portrait of Bianca, the rather graceless contours and unconvincing modelling of her shoulder and breast is largely the result of extensive restoration. Leonardo would have avoided granting her shoulder the kind of assertive plasticity that would have detracted from her head, but he would have subtly suggested his sitter's bodily presence with more skill than is presently apparent.

The medium is of course unusual, though Leonardo did produce illuminations on vellum for the finest manuscript of Luca Pacioli's *De divine proportione* in 1498, dedicated to Galeazzo Sanseverino. Given the portrait's commissioning for the vellum *Sforziada*, Leonardo sought a medium that would suit him. He could have used the traditional technique of painted illumination in bright pigments, as practiced by Birago, but he turned instead to a "method of dry colouring" (*il modo di colorire a seccho*) in coloured chalks that he promised to learn from Jean Perréal, the French artist and designer who visited Milan with Charles VIII in 1494. As a great and innovatory master of chalk drawing, he obviously preferred the elusive subtlety of modelling in soft coloured chalks to conjure up the fragile beauty of the young bride. He was clearly successful in learning from Perréal how to bind the pigments of flesh tones in chalk and how to dissolve gum lake (*impara la tempera delle conrnage. Impara dissolvere la lacca gomma*). The gum arabic was needed to prime the vellum and to fix the chalks.

For all their formal accomplishments, none of Leonardo's pupils, assistants or fellow artists in Milan, exhibit this combination of exquisite manual dexterity, experimental use of media, sharp observation, and special feeling for the physical behaviour of flesh, hair and ribbons. We can now appreciate why and how Leonardo contrived his intimate and innovatory masterpiece, depicting the beloved daughter of Duke Ludovico and the tender bride of Galeazzo Sanseverino. It is ready to occupy a special place in Leonardo's career.

Martin Kemp
LÉONARD DE VINCI
Portrait of Bianca Sforza "La Bella Principessa"

Martin Kemp
LEONARDO DA VINCI
Retrato de Bianca Sforza "La Bella Principessa"

Martin Kemp

LEONARDO DA VINCI

Retrato de Bianca Sforza "La Bella Principessa"

1496.
Pluma con tinta marrón y tizas de colores sobre pergamino. 33,0 x 23,9 cm., montado sobre panel de madera, colección privada. Previamente colección de Giannino y Jeanne Marchig, Ginebra.

Bibliografía sobre el retrato:
Alessandro Vezzosi, *Leonardo Infinito: La vita, l'opera completa, la modernità*, Bologna, 2008; Cristina Geddo, ÒIl 'Pastello' Ritrovato: Un Nuovo Ritratto di Leonardo", *Artes*, XIV, 2008-9, pp. 63-87; Mina Gregori, "Un appunto per Leonardo," *Paragone*, LXI, 2010), pp. 3-4; Martin Kemp y Pascal Cotte, *La Bella Principessa. The Story of the New Masterpiece by Leonardo da Vinci*, Londres, 2010; Elizabetta Gnigniera, *I Soperchi Ornamenti. Copricapi e Acconciature Femminili nell'Italia del Quattrocento*, Siena 2010, pp. 168-79; Peter Silverman conh Catherine Whitney, *Leonardo's Lost Princess*, Hoboken (NJ), 2010; Martin Kemp y Pascale Cotte, *La Bella Principessa di Leonardo da Vinci. Ritratto di Bianca Sforza*, Florence, 2012; Simon Hewitt, *Leonardo da Vinci and the Book of Doom – Bianca Sforza, the* Sforziadas *and Artful Propaganda in Renaissance Milan (forthcoming)*; Pascal Cotte: http://www.lumiere-technology.com/discoveries.html; Katarzyna Woźniak: https://sites.google.com/site/labellaprincipessacom/home;

Bibliografía sobre la *Sforziada*:
Bogdan Horodyski, "Miniaturzysta Sforzów, *Biuletyn Historii Sztuki*, Varsovia 1954, pp.195-214, y "Birago, Miniaturiste des Sforza" *Scriptorum*, X, 1956, pp.251-5; Mark Evans, 'New Light on the "Sforziada" Frontispieces of Giovan Pietro Birago", *British Library Journal*, XIII, 1987, pp. 232-47; Elizabeth McGrath, «Ludovico il Moro and His Moors», *Journal of the Warburg and Courtauld Institutes*, LV, 2002), pp. 67-94; D.R. Edward Wright: https://sites.google.com/site/labellaprincipessacom/home/leonardo-da-vinci/la-bella-principessa/sforziad-birago-simonetta/books-articles/provenance/provenance---ludovico-il-moro-and-sforziad

Al principio fue el retrato. Parecía haber surgido de la nada. Realizado con tinta y tizas de colores sobre una lámina pergamino montada sobre una vieja tabla de madera de roble, llegó sin un pasado. Se requerían los conocimientos de un experto para saber de qué se trataba y quién había sido su autor. La primera vez que apareció fue en la subasta de pinturas de antiguos maestros de Christie's organizada en Nueva York el 30 de enero de 1998. Para su venta fue catalogada como una obra alemana de principios del XIX con el título *Cabeza de una joven dama de perfil hacia la izquierda con vestido renacentista*. El retrato fue adquirido por la marchante de arte neoyorkina Kate Ganz por 21.850 dólares, un precio considerablemente alto por un pastiche alemán anónimo. En 2007, sin haber descubierto todavía quién era su autor, se lo vendió al coleccionista Peter Silverman.

Silverman, pensando que el retrato bien podría ser atribuible a Leonardo, se lo mostró a varios especialistas. Nicholas Turner, un destacado experto en antiguos maestros, corroboró la autoría de Leonardo y así lo publicaron Alessandro Vezzosi y Cristina Geddo. El libro de Vezzosi lleva una introducción de Carlo Pedretti, quien revisa la atribución con cierto escepticismo. El retrato fue minuciosamente examinado en París con los escáneres multiespectrales del estudio de Pascal Cotte, quien ha colaborado con Martin Kemp en una monografía donde se analizan todos los aspectos de la imagen: su estilo en relación con otras obras de Leonardo, la técnica del dibujo coloreado sobre pergamino, su relación con otros retratos femeninos de la corte de los Sforza en Milán —como el estilo del peinado y la vestimenta de la modelo—, y la posibilidad de que se trate de Bianca Sforza, la hija ilegítima de Ludovico Sforza fallecida trágicamente a la edad de 13 o 14 años después de casarse con Galeazzo Sanseverino en 1496. El examen de Cotte reveló aspectos de la técnica característicos de Leonardo, como el uso del borde de la palma de su mano derecha para la modelación de la piel de la modelo. También se descubrió una serie de *pentimenti*, los más llamativos en la parte posterior de la cabeza, además de amplios trabajos de restauración de diferentes zonas dañadas. Pero la parte más afectada era el vestido de la mujer . Cotte también demostró que los tres agujeros perforados en el margen izquierdo testificaban que la lámina había sido arrancada de un manuscrito o de un libro. Su datación mediante carbono coincide con la posible realización del retrato por Leonardo.

Paralelamente, fueron surgiendo detalles acerca de la procedencia del retrato. Su venta había sido encargada a Christie's por Jeanne Marchig, viuda de Giannino, un pintor y restaurador internacionalmente reconocido que trabajó en Florencia y posteriormente en Ginebra. Giannino había reunido una colección personal de arte italiano, y creía que el retrato era obra de Domenico Ghirlandaio. Al saber que la atribución hecha por Christie's a un *pasticheur* alemán parecía ser bastante errónea, emprendió acciones legales contra la casa de subastas. Sin embargo, esta medida se topó con un problema técnico, y es que había dejado pasar demasiado tiempo desde la venta. Finalmente, Christie's y Marchig llegaron a un acuerdo fuera de los tribunales. Un punto clave en la disputa fue la sustitución del marco del retrato, del que hace poco se ha encontrado una fotografía de mala calidad.

La situación se habría quedado así si no hubiese intervenido D.R. Edward Wright, profesor emérito de la Universidad del Sur de Florida. Siguiendo la sugerencia de que la modelo podría ser Bianca Sforza, propuso que el retrato podría venir de una copia en pergamino de un libro impreso que se encontraba en la Librería Nacional de Polonia.
La obra de Giovanni Simonetta *Commentarii rerum gestarum Francisci Sfortia*, publicada en Milán en 1490 por Antonio Zarotto, era una composición laudatoria sobre la vida y la obra de Francesco Sforza. Ludovico, segundo hijo de Francesco, encargó al gran humanista florentino Cristoforo Landinola la traducción al italiano. Se imprimieron cuatro volúmenes de presentación de la traducción sobre una cosota vitela (pergamino), ricamente decorados por uno de los iluminadores más individualistas y maravillosos del Renacimiento, Giovanni Pietro Birago. La versión varsoviana se elaboró específicamente para la boda de Bianca con Galeazzo Sanseverino, el aristocrático comandante de las fuerzas milanesas de Ludovico. Aunque no conocemos con precisión el modo en que la *Sforziada* llegó a Polonia, sabemos que en el siglo XVI se produjeron uniones dinásticas entre Varsovia y Milán, y que la obra se encontraba en la mayor biblioteca de Polonia, propiedad de Jan Zamojski, que murió en 1605.

La primera página de Birago es una fiesta iconográfica con ricas representaciones alusivas a los ideales y las aspiraciones de Ludovico, de su hija y de su yerno. En el medallón central del panel superior aparece un galgo blanco, uno de los *imprese* de Francesco, flanqueado por dos *putti* con cola de delfín, uno con una lira y el otro con dos gaitas de un puntero. En la parte superior del margen derecho se encuentra el escudo de Roberto Sanseverino de Nápoles. Una pareja de delfines estilizados sostiene dos conjuntos de anillos de diamantes entrelazados; un emblema de los Sforza empleado también por Roberto Sanseverino y los Medici. En los dos escudos colgantes se lee la inscripción «GZ», las iniciales de Galeazzo Sanseverino, hijo de Roberto. En el escudo del propio Galeazzo, sostenido por dos *putti* disfrazados de hombres salvajes con garrotes, dos manos escurren una tela para colar (vellocino de Gedeón). Es la referencia al anuncio de Dios señalando a Gedeón como el soldado elegido para salvar a Israel en el libro de los Jueces. El vellón apareció milagrosamente empapado de rocío mientras que el resto del suelo permanecía seco.

Martin Kemp
LEONARDO DA VINCI
Portret Bianki Sforzy "La Bella Principessa"

Martin Kemp
LEONARDO DA VINCI
Portret Bianki Sforzy "La Bella Principessa"

1496 r.
Piórko, brązowy tusz i kredki na welinie rozpiętym na dębowej desce. Wymiary: 33.0 x 23.9 cm. Z kolekcji prywatnej. Poprzednio: Genewa, kolekcja Giannina i Jeanne Marchig.

Literatura na temat portretu:
Alessandro Vezzosi, *Leonardo Infinito: La vita, l'opera completa, la modernità*, Bolonia, 2008; Cristina Geddo, *Il 'Pastello' Ritrovato: Un Nuovo Ritratto di Leonardo*, „Artes", XIV, 2008-9, s. 63-87; Mina Gregori, *Un appunto per Leonardo*, „Paragone", LXI, 2010), s. 3-4; Martin Kemp i Pascal Cotte, *La Bella Principessa. Historia nowego arcydzieła Leonarda da Vinci*, Londyn, 2010; Elizabetta Gnigniera, *I Soperchi Ornamenti. Copricapi e Acconciature Femminili nell'Italia del Quattrocento*, Siena 2010, s. 168-79; Peter Silverman i Catherine Whitney, *Zaginiona księżniczka Leonarda*, Hoboken (NJ), 2010; Martin Kemp i Pascale Cotte, *La Bella Principessa di Leonardo da Vinci. Ritratto di Bianca Sforza*, Florencja, 2012; Simon Hewitt, *Leonardo da Vinci i Księga Przeznaczenia – Bianca Sforza, Sforziady i zręczna propaganda w renesansowym Mediolanie* (w przygotowaniu); Pascal Cotte: http://www.lumiere-technology.com/discoveries.html; Katarzyna Woźniak: https://sites.google.com/site/label-laprincipessacom/home;

Literatura na temat księgi *Sforziada*:
Bogdan Horodyski, *Miniaturzysta Sforzów*, „Biuletyn Historii Sztuki", Warszawa 1954, s. 195-214, oraz *Birago, Miniaturiste des Sforza*, „Scriptorum", X, 1956, s. 251-5; Mark Evans, *Nowe światło na „Sforziadę". Karta tytułowa Giovana Pietra Birago*, „British Library Journal", XIII, 1987, s. 232-47; Elizabeth McGrath, *Ludovico il Moro i jego Maurowie*, „Journal of the Warburg i Courtauld Institutes", LV, 2002), s. 67-94; D.R. Edward Wright: https://sites.google.com/site/labellaprincipessacom/home/leonardo-da-vinci/la-bella-principessa/sforziad-birago-simonetta/books-articles/provenance/provenance---ludovico-il-moro-and-sforziad

Na początku był portret. Wydawać by się mogło, że pojawił się znikąd. Wykonany w tuszu i kolorowej kredce na welinie, rozpiętym na starej dębowej desce, zjawił się pozbawiony swojej własnej historii. Czym tak naprawdę był i kto go namalował? Były to dwa zasadnicze pytania wymagające prawdziwego znawstwa tematu. Pierwsze doniesienia na temat portretu znajdziemy na aukcji starych rysunków, która miała miejsce w domu aukcyjnym Christie's w Nowym Jorku 30 stycznia 1998 roku. Tam obraz został skatalogowany jako niemiecki rysunek z początku XIX wieku pod nazwą *Portret młodej dziewczyny z lewego profilu w sukni renesansowej*. Zakupiła go nowojorska marszandka Kate Ganz za 21 850 dolarów, co było wyraźnie zbyt wygórowaną ceną jak na anonimowy niemiecki pastisz. Nowej właścicielce nie udało się ustalić autorstwa obrazu; w roku 2007 odkupił go kolekcjoner Peter Silverman.

Silverman, przypuszczając, że obraz prawdopodobnie może być dziełem samego Leonarda da Vinci, pokazał go grupie specjalistów. Nicholas Turner, główny ekspert od dzieł starych mistrzów, poinformował Silvermana, że jego zdaniem jest to dzieło Leonarda i że jako takie zostało opublikowane przez Alessandra Vezzosiego i Christinę Geddo. Książka Vezzosiego została poprzedzona wstępem Carla Pedretti, który ostrożnie przychyla się do potwierdzenia autorstwa obrazu. Portret został zbadany w najdrobniejszych szczegółach za pomocą skanera multispektralnego w paryskim studiu Pascala Cotte'a, który współpracował z Martinem Kempem przy monografii da Vinci. Przeanalizowano obraz we wszystkich jego aspektach: jego styl w stosunku do innych dzieł Leonarda; zidentyfikowano technikę jako kolorowy rysunek na welinie; zbadano jego związek z innymi portretami kobiecymi z dworu Sforzów w Mediolanie, włączając w to fryzurę i ubiór modelki; ustalono w końcu, że kobieta przedstawiona na portrecie to prawdopodobnie Bianka Sforza, nieślubna córka Ludwika Sforzy, która zmarła tragicznie w wieku 13 lub 14 lat niemal tuż po ślubie z Galeazzo Sanseverino w roku 1496. Badanie przeprowadzone przez Cotte'a ujawniło arkana techniki malarskiej charakterystyczne dla Leonarda, zwłaszcza użycie krawędzi prawej dłoni, aby zharmonizować wymodelowanie ciała kobiety. Ujawniono też całą serię *pentimenti*, w większości szczególnie za głową modelki, stąd późniejsze rozległe poprawianie uszkodzonych obszarów stało się bardzo widoczne. Szczególnie suknia modelki ucierpiała na tych zabiegach. Cotte wskazał również trzy otwory po zszyciu na lewym brzegu obrazu, które poświadczają, że welin został wydarty z jakiegoś manuskryptu albo książki. Datowanie węglem aktywnym próbki welinu udowodniło, że jest ona zgodna z prawdopodobnym autorstwem Leonarda.

Jednocześnie wychodzą na jaw inne szczegóły pochodzenia portretu. Obraz został oddany na sprzedaż w domu aukcyjnym Christie's przez Jeanne Marchig, wdowę po Gianninie, malarzu i uznanym międzynarodowym restauratorze, pracującym we Florencji a potem w Genewie. Giannino stworzył swoją osobistą kolekcję włoskiej sztuki i sądził, że autorem portretu był Domenico Ghirlandaio. Dowiedziawszy się, że rozpoznanie domu aukcyjnego Chrisite's, przypisujące autorstwo niemieckiemu naśladowcy, wydaje się być ogromnym błędem, Marchig wytoczyła licytatorom proces sądowy, proces, który napotkał wiele trudności związanych z kwestiami technicznymi dotyczącymi zbyt długiej zwłoki czasowej w wytoczeniu procesu po sprzedaży. Ważnym argumentem w sporze było usunięcie ramy portretu oraz słabej jakości fotografie, na których portret został ostatnio ujawniony. W rezultacie Christie's i Jeanne Marchig załatwili jednak sprawę polubownie.

W tym miejscu sprawy mogłyby utknąć w martwym punkcie, gdyby nie interwencja D. R. Edwarda Wrighta, emerytowanego profesora Uniwersytetu Południowej Florydy. Idąc śladem przypuszczenia, że modelka z obrazu może być Bianką Sforza, wysunął hipotezę, że obraz może pochodzić z welinowej kopii drukowanej książki znajdującej się obecnie w zbiorach Biblioteki Narodowej w Warszawie. Opublikowana w Mediolanie przez Antionia Zarotto w roku 1490 księga pt. *Commentarii rerum gestarum Francisci Sfortia* autorstwa Giovanniego Simonetty została napisana jako panegiryk na cześć życia i czynów Franciszka Sforzy. Ludwik, drugi syn Franciszka, zamówił jej włoskie tłumaczenie u wielkiego literata z Florencji, Cristoforo Landino. Cztery egzemplarze tłumaczenia zostały specjalnie wydrukowane na drogim welinie (rodzaj pergaminu) i bogato przyozdobione przez jednego z najoryginalniejszych i najbardziej zachwycających renesansowych iluminatorów Giovanni Pietro Birago. Egzemplarz warszawski został wykonany specjalnie na ślub Bianki z Galeazzo Sanseverino, arystokratycznym dowódcą armii Ludwika w Mediolanie. Nie wiemy dokładnie jak *Sforziada* znalazła się w Polsce, ale wiadomo, że w XVI wieku istniały pewne dynastyczne powiązania pomiędzy Warszawą a Mediolanem. Pewne jest i to, że dzieło znajdowało się w znaczącej polskiej bibliotece należącej do Jana Zamojskiego, który zmarł w 1605 roku.

Natchniona karta tytułowa ozdobiona iluminacją Birago to prawdziwa uczta dla miłośników ikonografii z dużą ilością aluzji do ideałów i aspiracji Ludwika oraz jego córki i zięcia. Na okrągłym polu w środku górnego panelu znajduje się biały chart, jedna z ulubionych *impresji* Francesca. Medalion jest otoczony przez dwa „morskie" grające *putta:* jeden na lirze a drugi na podwójnej fujarce z wydętymi mieszkami. W prawym górnym rogu jest godło Roberta Sanseverino z Neapolu. Para stylizowanych delfinów podtrzymuje dwie grupy splecionych brylantowych pierścieni – symbol używany zarówno przez Sforzę, jak i przez Roberta Sanseverino i Medyceuszy. Dalej mamy parę wiszących tarcz z napisem „GZ" dla uczczenia Galeazza Sanseverino, syna Roberta. Godło Galeazza jest podtrzymywane przez *putta* – z pozoru wojowniczych dzikusów z maczugami – a na nim widzimy sączącą się tkaninę (Runo Gedeona), która jest wyżymana przez parę dłoni. Jest to odniesienie do znaku danego Gedeonowi przez Boga w biblijnej Księdze Sędziów, aby wskazać, że został on wybrany, aby ocalić Izrael. Tkanina została w cudowny sposób namoczona przez rosę w okresie, gdy ziemia była całkowicie sucha.

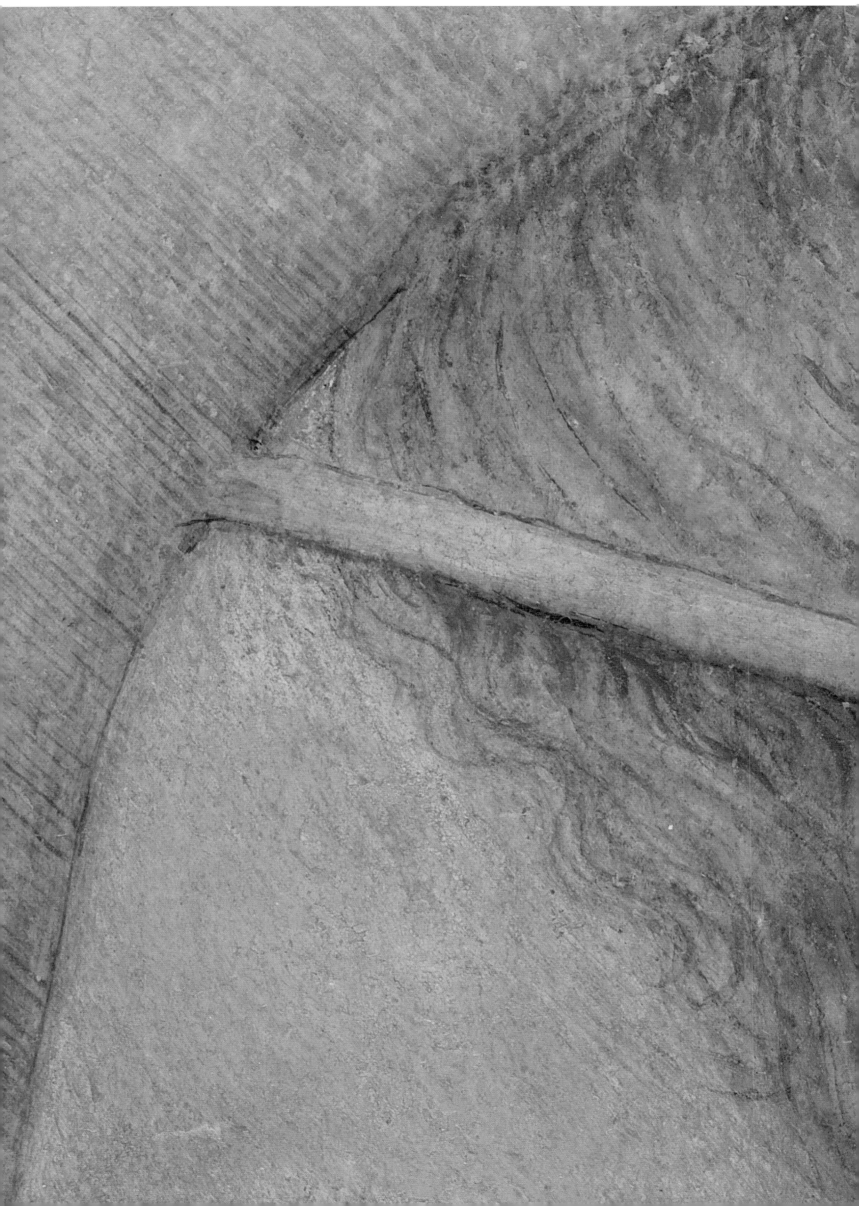

Martin Kemp
ЛЕОНАРДО ДА ВИНЧИ
Портрет Бьянки Сфорца "Прекрасная Принцесса"

Martin Kemp
ЛЕОНАРДО ДА ВИНЧИ
Портрет Бьянки Сфорца "Прекрасная Принцесса"

1496 год.
Пергамент, перо, бурые чернила и цветной мел. 330 x 239 мм. Портрет установлен на деревянной основе. Частная коллекция. Ранее находился в Женеве. Из коллекции Джаннино и Джин Марчиг.

Библиография по портрету

Алессандро Веццози, Бесконечный Леонардо: жизнь, полное собрание сочинений, современность, Болонья, 2008 г.; Кристина Джеддо, «Вновь обретенная 'пастель' – новый портрет Леонардо?» в журнале «Артес» XIV, 2008-9 г., стр. 63-87; Мина Грегори, «Заметка о Леонардо» в журнале «Парагоне», LXI, 2010 г., стр. 3-4; Мартин Кемп и Паскаль Котте, Прекрасная принцесса. The Story of the New Masterpiece by Leonardo da Vinci, Лондон, 2010 г.; Элизабетта Ниньера, Вычурные украшения. Женские головные уборы и прически в Италии XV века, Сиена, 2010 г., стр. 168-79; Питер Сильверман и Катрин Уитни, Leonardo's Lost Princess, Хобокен (Нью-Дж.), 2010 г. (итальянское издание: Потерянная принцесса Леонардо, Милан, 2012 г.); Мартин Кемп и Паскаль Котте, Прекрасная принцесса Леонардо да Винчи. Портрет Бьянки Сфорца, Флоренция, 2012 г. (редактированное и обновлённое итальянское издание книги Кемпа и Котте 2010 г.); Саймон Хевит, Leonardo da Vinci and the Book of Doom – Bianca Sforza, the Sforziadas and Artful Propaganda in Renaissance Milan (издание публикуется); Паскаль Котте: http://www.lumiere-technology.com/discoveries.html; Катажина Вожняк: https://sites.google.com/site/labellaprincipessacom/home

Библиография по «Сфорциаде»

Богдан Хородыски "Miniaturzysta Sforzów", в «Biuletyn Historii Sztuki», 1954 г., стр. 195-214 и «Birago, Miniaturiste des Sforza» в «Scriptorum», X, 1956, стр. 251-5; Марк Эванс "New Light on the 'Sforziada' Frontispieces of Giovan Pietro Birago", в «British Library Journal», XIII, 1987 г., стр. 232-47; Элизабет МакГрат, "Ludovico il Moro and His Moors", в «Journal of the Warburg and Courtauld Institutes», LV, 2002 г., стр. 67-94; Дэвид Р. Эдвард Райт: https://sites.google.com/site/labellaprincipessacom/home/leonardo-da-vinci/la-bella-principessa/sforziad-birago-simonetta/books-articles/provenance/provenance---ludovico-il-moro-and-sforziad

В начале был портрет, который, казалось, появился из ничего. Выполненный с помощью чернил и мелков на пергаментном листе, закрепленном на старинной дубовой доске, он, словно, не имеет своей истории. Чтобы понять суть работы и кто её автор необходимо было обратиться к знатокам дела. Всегда считавшаяся подделкой, выполненная неизвестным немецким художником начала девятнадцатого века, под названием "Head of a Young Girl in Profile to the Left in Renaissance Dress" («Голова юной девушки в профиль в костюме эпохи Возрождения»), картина впервые появилась на аукционе рисунков старинных мастеров «Кристис» в Нью-Йорке 30-го января 1998 года. Её приобрела одна продавщица произведений искусств, Кейт Ганз, за 21.850 долларов – цену очень высокую за работу с такой характеристикой. По-видимому, Ганз не добилась успехов в установлении автора и в 2007 году коллекционер Питер Сильверман купил у неё портрет.

Полагая, что картина могла быть работой Леонардо, Сильверман показал её различным специалистам, из которых был и Николас Тёрнер – один из опытнейших экспертов по рисункам старинных мастеров. Он подтвердил авторство портрета в своем письменном докладе. Позже Алессандро Веццози и Кристина Джеддо опубликовали портрет, как работу Леонардо в своих работах. Во вступительной части книги Веццози Карло Педретти приветствует открытие с симпатией, хоть и с некоторой осторожностью. Тем временем портрет был подвергнут тщательным исследованиям с помощью мультиспектрального анализа в парижской лаборатории Lumiere Technology инженера Паскаля Котте.

В последствии он стал сотрудничать с Мартином Кемпом над монографией, в которой были описаны все проанализированные аспекты: стиль, сравниваемый с другими работами художника, техника цветного рисунка на пергаменте и взаимосвязь с другими женскими портретами, выполненными при дворе семейства Сфорца в Милане, учитывая, также, стиль причёску и платье. Помимо этого, в ней рассматривалась возможность, что речь шла о Бьянке Сфорца – внебрачной дочери Лодовико Сфорца, трагически скончавшейся всего лишь в 13 или 14 лет после брака с Галеаццо Сансеверино в 1496 году. Научные анализы Котте позволили выделить аспекты выполнения, которые являются типичными для Леонардо, из которых немаловажным является использование ладони левой руки для воспроизведения тонов кожи и растушёвки цветов. Так был выявлен ряд исправлений, в особенности за головой, и стала очевидной подправка на повреждённых местах, выполненная в более поздний период. Оказалось, что платье пострадало больше других частей. Кроме того, Котте доказал, что три миниатюрных отверстия на левом краю указывают на то, что лист пергамента был вырван из манускрипта, или из какой-либо книги. В конце концов, с помощью радиоуглеродного анализа был определён возраст, который оказался совместимым с авторством Леонардо.

В то же время стали всплывать детали о происхождении портрета. Обнаружилось, что картина была выставлена на продажу в Christie's Джин Марчиг, вдовой художника-реставратора международной известности Джаннино Марчиг. Этот человек работал во Флоренции и Генуе, создал частную коллекцию итальянского искусства и полагал, что портрет мог быть работой Доменико Гирландайо. Узнав о том, что атрибуция аукционным домом Christie's картины как немецкая *pastiche* (стилизация), скорее всего, была ошибочной, Джин Марчиг подала на них в суд, но иск был отклонён, так как эта ошибка была совершена слишком давно. Решающую роль в споре сыграло и то, что рамка с портрета была снята и, не так давно, была обнаружена её, довольно бедная, фотография. В конце концов Christie's и Джин Марчиг заключили полюбовное соглашение.

И все могло бы остаться на этой стадии, если бы не вмешательство Дэвида Р. Эдварда Райта – заслуженного профессора из Университета Южной Флориды. Ссылаясь на гипотезу Кемпа о том, что на портрете могла быть изображена Бьянка Сфорца, он предположил, что лист мог принадлежать древней рукописи из пергамента, которая хранится в Польской Национальной библиотеке в Варшаве. Опубликованная в 1490 году в Милане Антонио Заротто, обсуждаемая инкунабула *Commentarii rerum gestarum Francisci Sfortiae,* известная, также, под названием «Сфорциада», изначально была написана на латыни как хвалебное повествование о жизни и работах Франческо Сфорца. Лодовико, второй ребёнок Франческо, заказал итальянскую версию, которая была переведена флорентинцем Кристофором Ландино – литератором большой известности. Особое внимание получили четыре подарочные книги – их напечатали на тонком, дорогом пергаменте, а роскошное оформление выполнил один из самых оригинальных и восхитительных миниатюристов эпохи Возрождения – Джованни Пьетро Бираго. Варшавский экземпляр был выполнен специально по случаю свадьбы Бьянки с Галеаццо Сансеверино – знатным кондотьером миланского гарнизона Лодовико. Мы не знаем точно, как «Сфорциада» попала в Польшу, тем не менее, известно, что в XVI веке между Варшавой и Миланом существовали династические связи. Помимо этого, нам известно, что книга находилась в знаменитой библиотеке Яна Замойского, который умер в 1605 году.

Яркая страница *incipit (*зачина*)*, иллюстрированная миниатюрами Бираго – это самый настоящий гимн иконографии, со своей богатой серией аллюзий к идеалам и желаниям Лодовико, его дочери и зятя. В середине верхней части *tableau* (картины), в кругу изображена белая борзая – одно из любимых занятий Франческо. Два морских амура, направленных в сторону животного, исполняют серенаду под аккомпанемент лиры и двух волынок. Справа вверху наблюдается щит с гербом Роберто Сансеверино из Неаполя, отца Галеаццо. Рядом находятся два стилизованных дельфина, каждый из которых поддерживает экземпляр другой эмблемы Сфорца – три скреплённых кольца с алмазом, использованной самим Сансеверино и Медичи. Два подвешенных щита имеют надпись «GZ» – инициалы Галеаццо Сансеверино. Следующий широкий щит, поддерживаемый двумя мальчиками в виде грозных диких людей с дубинами, демонстрирует материю, которую они сжимают двумя руками. Данная ткань, называемая *buratto (*буратто*)*, использовалась в качестве сита для просеивания муки (ещё одна из многих других занятий рода Сфорца) и может таить здесь одну, или более, аллюзий.

Действительно, кажется возможным намек на знамение Божие, посланное Гедеону в Книге Судей Израилевых, указывающее на то, что он был избранным солдатом для спасения Израиля: в одно утро шерсть Гедеона была покрыта росой настолько, что её можно было выжимать, в то время как земля вокруг была сухой. Следовательно, Галеаццо – солдат, который может справедливо отождествляться с персонажем, ассоциируемым с таким щитом.

Ниже изображен, играющий на военной свирели и барабане, амур. Затем еще один большой, солидный щит, поделенный на четыре части, с геральдическими волнами, присущими как для рода Сфорца, так и для Сансеверино, и кораблем государства, управляемым темнокожим человеком – аллюзия к прозвищу «Моро» (мавр), которым называли Лодовико. Вокруг расположенной ниже купели стоит надпись P[RE]SB[YTE]R IO[HANNES] PETRU[S] BIRAGUS FE[CIT] – подтверждение того, что миниатюры были выполнены «пресвитером» Джованни Пьетро Бираго.

Вдоль *tableau* в конце страницы Бираго построил одну из своих характерных шарад с детьми. Мавр восседает в центре, на пьедестале, в то время как один «белокожий» человек и «мавританка» со светлыми волосами продвигаются вперед с левой стороны. Возможно, эта пара символизирует Галеаццо Сансеверино и Бьянку Сфорца. С четкими аллюзиями к Библии тексты призывают пару следовать Богу через пример Христа, «давать плоды» и довериться ему, чтобы получить искупление. Резвые кролики подчеркивают потенциальную плодородность их союза. Ребенок с тонзурой напротив Галеаццо, которому предназначена епископская шляпа, находящаяся в руке Лодовико, скорее всего, Федериго Сансеверино – сводный брат Галеаццо. Сложнее идентифицировать других детей, которые, возможно, являются членами семьи Сфорца и Сансеверино.

На левой полосе изображена пустая римская кираса, над которой тянется целый ряд крупных жемчужин – очень ценящийся вид при дворе Сфорца. Затем следуют один экземпляр скрепленных колец, *buratto* и амур, играющий на ручной лире. Вверху привлекают внимание два перекрещенных щита, изображенных боком с надписями G и Z (опять же означающих Галеаццо), на которых стоит крылатый шлем. В то время как на правой стороне присутствует более военный и династический стиль, левая сторона больше склоняется к миру и любви.

Учитывая смелое предложение Райта возникает естественное желание задаться вопросом, насколько было возможно найти конкретные доказательства, которые подтвердили бы связь между портретом на пергаменте и экземпляром варшавской «Сфорциады» из одинакового материала. Размеры инкунабулы и портрета совпадали, но необходимо было предоставить более специфические доказательства. Тщательный анализ книги, проводимый Котте и Кемпом в польском городе показал, что каждая сфальцованная тетрадь изначально состояла из четырех согнутых пополам и вложенных друг в друга, листов, составляя в итоге 8 половинок и 16 страниц. Однако, в первой сфальцованной тетради не хватает целого листа и половины второго. Учитывая интервал между миниатюрными отверстиями, три из пяти отверстий от стежков первой тетради приблизительно соответствуют трем отверстиям, едва заметным на краю пергамента, на котором был выполнен портрет. Когда факсимиле рисунка вставили в то место, в котором он должен был находиться, это подтвердилось. Пустая страница, которая должна была предшествовать портрету, удалена, в то время как оставшаяся половина листа с содержанием текста была приклеена к полям следующего. Учитывая композицию первой сфальцованной тетради и соответствие портрета с книгой, вполне возможно, что портрет изначально являлся 8-ой половиной первого листа варшавской «Сфорциады» с обратной стороной без текста, за которой следует страница с зачином (*incipit*), иллюстрированная миниатюрами Бираго.

В свете собранных доказательств теперь можно утверждать, что мы знаем больше относительно обстоятельств, породивших заказ на рисунок Леонардо, нежели на другие его работы. Все становится намного очевиднее.

Молодая девушка с изящными чертами лица была нарисована в профиль в сдержанной позе. Волосы элегантно убраны и сзади собраны в сеточку, переходя в коаццоне – туго перевязанный хвост. Тонкая лента вокруг затылка держит сеточку. Платье простое, но украшено по моде того времени с геометрическим узелковым орнаментом. Скорее всего, эта девушка входила в состав двора Сфорца, где прическа коаццоне была обязательной, а узелковое сплетение очень часто встречалось и в орнаментах, созданных Леонардо. Девушка только-только достигла половой зрелости: это означало, что она могла перейти из статуса невесты в статус жены аристократа в том порядке, который был тогда в силе при итальянских дворах. Все это полностью подводит под одну черту идентификацию модели с Бьянкой Сфорца – совсем молодой жены Галеаццо Сансеверино.

Её профиль выполнен чернилами с идеальной кропотливостью и чувствительностью. Искусная штриховка фона, выполненная параллельными линиями рукой художника-левши, по-особому выделяет лицо. Позднее штриховка была реализована повторно, но уже рукой другого художника. Мастерски распределенные тона цвета кожи были получены наложением белого и красного мела и растушеваны рукой. В некоторых местах цвет кожи был подправлен пастелью и пигментом для живописи. Лучистый глаз естественного цвета фона пергамента заштрихован с простой элегантностью, веки обрамлены невероятно густыми, загибающимися кверху ресницами. После очередного научного исследования, проведенного Котте, мы узнали, что художник вначале наметил весь эллипс радужной оболочки глаза, после чего заштриховал её третью (верхнюю) часть матовым пигментом, на основе белого цвета, который использовал для верхнего века. Убранные волосы, позднее подправленные в некоторых местах, изображены мягкими волнами типичным приемом Леонардо и настолько изящны, что позволяют «увидеть» ухо. Там, где волосы не перевязаны тугой лентой, спускающейся спиралью вдоль хвоста, хорошо видно, как они слегка поднимаются дугой.

Формальность профиля немного изумляет, учитывая инновационные позы других женских профилей, выполненных художником во Флоренции и Милане. Тем не менее, портрет в профиль был обязательным для правителей и их семейного круга. Леонардо приходилось придерживаться правила даже в 1500 году, когда по случаю визита в Мантую, он выполнил эскиз для портрета Изабеллы д'Эсте, который так никогда и не стал законченным произведением. Несчастливый вид портрета Бьянки: очертания, скорее, неловкие, неправдоподобное изображение форм плеча и груди являются, в первую очередь, результатом далеко не умеренной реставрации. Леонардо, наверняка, не придал бы плечу ту строгую пластичность, которая лишила лицо должного внимания. Напротив, он бы «оживил» тело модели очень чувствительно и с большим мастерством, нежели так, как мы видим её сегодня.

Материалы, которыми пользовался Леонардо, конечно же, необычны, даже если он выполнил иллюстрации на пергаменте для ценной рукописи *De divina proportione (Божественная пропорция)* Луки Пачиоли в 1498 году, которая была посвящена Галеаццо Сансеверино. Поскольку Леонардо было поручено выполнить портрет для старинной рукописи «Сфорциады» на пергаменте, художник отдал предпочтение тем материалам, которые были ему ближе. Он мог бы воспользоваться традиционной техникой для миниатюр с помощью пигмента ярких тонов, которыми пользовался Бираго, но пожелал прибегнуть к «окрашиванию сухим способом» цветными мелками – технике, которой он обязался выучиться у французского художника Жана Перреаля, посетившего Милан в 1494 году при сопровождении Карла VIII. Будучи великим новатором, он, конечно же, предпочел экстремальную точность, изобразить которую стало возможно с помощью мягких цветных мелков, максимально извлекая на свет хрупкую красоту молодой невесты. Он явно и целенаправленно смог научиться у Перреаля смешивать пигменты мелков, которые использовал для передачи цвета кожи, и растворять гуммиарабик (*"Impara la tempera delle cornage. Impara a dissolvere la lacca gomma"*). Благодаря гуммиарабику, мелки хорошо оставляли след на пергаменте и фиксировались на нём.

Несмотря на очень значительные стилистические результаты, достигнутые учениками, помощниками и коллегами Леонардо, никто из них не смог сочетать также, как и он, изысканную ловкость рук, экспериментальное применение материалов, проницательность и необыкновенную чувствительность воссоздавать цвет кожи, волосы и ленты. Теперь мы можем всецело оценить, как и почему он воплотил в жизнь этот сокровенный и очень инновационный шедевр, написав портрет любимой дочери герцога Лодовико, а также молодой невесты Галеаццо Сансеверино. И теперь этот шедевр готов занять особенное место в необыкновенном *corpus (собрании)* работ художника.

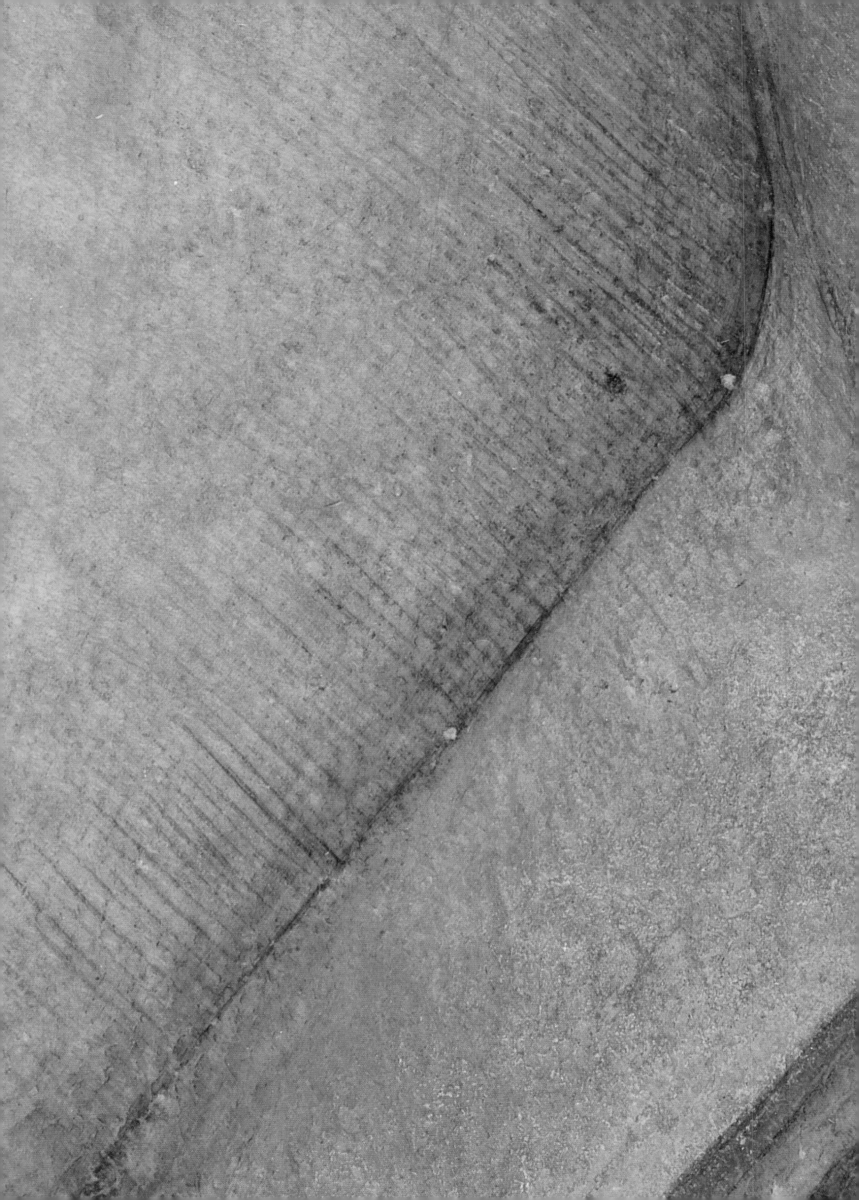

Martin Kemp
列奥纳多·达·芬奇
肖像画: 比安卡·斯福尔扎 ("美丽公主")

紧随莱特的猜测之后的问题来了。有没有证据能够证明画有肖像的这张牛皮纸和在华沙珍藏的《斯福尔扎家族史》副本所使用的牛皮纸之间有什么联系呢？虽然肖像的大小和书的大小吻合，但是同样需要更多的证据来证明。科特和坎普对这本书进行了仔细的检查，发现书的每张散页最初由4个交错的对页，包括8开纸的16页组成。但是，书的第一页在被拿掉一个对页和一个整开的对页之后减少了。第一页的5个孔中的3个的位置正好和画作所使用的牛皮纸的3个孔的位置相符，这点也得到了证实。科特和坎普将画作的传真插入到了书中可能出现的位置，现在的空白页正好对着原本肖像所在的位置，而这个对页剩下的带有文字的部分在内部边缘的部分也同样吻合。正式鉴于第一页的事实以及肖像页和这本书的吻合度，这幅画非常有可能是在华沙珍藏的这本《斯福尔扎家族史》8开中的一页。这本书正是比拉格所创作的标题页，封底空白。

根据以上所有我们已经掌握的证据，相对于达芬奇其他的肖像画而言，我们可以了解更多这幅画作背后的故事。现在，我们来看看这幅画是如何创作的。

画面描绘了一位温柔的年轻女性，衣着讲究，一头长发用发网结成辫子固定在脑后，额头缠绕一根束发带。她的衣服简单而新潮。她被认为是斯福尔扎王庭中的一员，判断依据是COAZZONE在斯福尔扎王庭是一种社交礼仪，网结图案尤其受欢迎，更不用说达芬奇的设计。她此时刚刚进入青春期，这意味着她有资格依照意大利王庭的习俗成为某位贵族的妻子。所有的这些都指向了比安卡·斯福尔扎，加莱佐·圣塞韦里诺的年轻妻子。

墨水勾勒出了她精致完美的肖像。平行的笔画勾勒出了完美的背景阴影，这些说明创作者是一位左手画家。阴影部分后续被修复过。画中人柔和的肤色由白色和红色粉笔混合，是画家用手涂抹形成的。皮肤用彩色粉笔和蜡笔再次描绘。眼睛呈现在牛皮纸的背景下被描绘的简单而优雅，眼睑周围用细小弯曲的线条描绘出睫毛。我们从科特进一步的技术检测中得知，创作者最初画了一个完整的椭圆，然后在上眼睑的地方用一种白色底不透明颜料上色三遍。模特聚集在一起的头发也被修复过，头发像流水的波纹一样，这同样也是达芬奇的创作风格，发丝的精细度甚至能瞥到耳朵下方。辫成辫子的头发被螺旋状的发带宽松的束在一起。

这幅画作表现形式给人以极大的惊喜，对于达芬奇创作的其他在佛罗伦萨和米兰的女性肖像画而言，关于模特的动作给了创新的意见。然而，这幅肖像画是为了统治者和他家族的任务而完成。即使是达芬奇在1500年到访曼图尔为伊莎贝拉·艾斯特创作肖像画时时都被限制使用这幅画作，虽然为伊莎贝拉创作的肖像画从来没有付诸行动。比安卡的肖像画中最令人不满意的一点是相较于完美的轮廓，她的肩膀和胸部因为过度的修复看起来毫无说服力。达芬奇避免了让她的肩膀给人一种僵硬的感觉，他巧妙地建议他的模特用更多的技巧来展示身体语言。

这种创作手法无疑是不同寻常的，尽管达芬奇曾于1498年同样在牛皮纸上画了卢卡·帕西奥利的手稿《神圣比例》，并且献给了加莱佐·圣塞韦里诺。当达芬奇收到为斯福尔扎画肖像画的任务时，他找到了一种可以满足加莱佐需求的方法。他曾尝试用传统的技法，如同比拉格曾经做过的那样用鲜艳的颜料的油画，但是他最后选择了用一种"干的彩色的方法"，即用彩色粉笔。这种方法是他承诺向简·佩雷奥学习的。佩雷奥是一位法国艺术家和设计家，他曾于1494年到米兰访问查理八世。作为一位伟大且极具创意的粉笔画大师，显然他更喜欢用柔和的彩色粉笔来描绘这位美丽的年轻新娘。达芬奇从佩雷奥那里完全掌握了如何用粉笔来调肤色以及如何解决胶的问题。创作中需要树胶来填充牛皮纸并且固定粉笔画。

在所有已知的成就中，没有任何一位达芬奇的学生、助手或其他米兰的追随者能够像他一样可以将高超的手工技巧，媒体的运用，敏锐的观察力以及对于肢体语言、头发、发带的特殊感觉如此巧妙的融合在一起。现在，我们可以理解达芬奇为什么以及如何创作了这幅亲密而又极具创新的手稿，刻画出了卢多维科公爵的女儿，加莱佐·圣塞韦里诺的新娘。这将会在达芬奇的职业生涯中占据一个非常特殊的位置。

肖像画的后面已经装裱好了

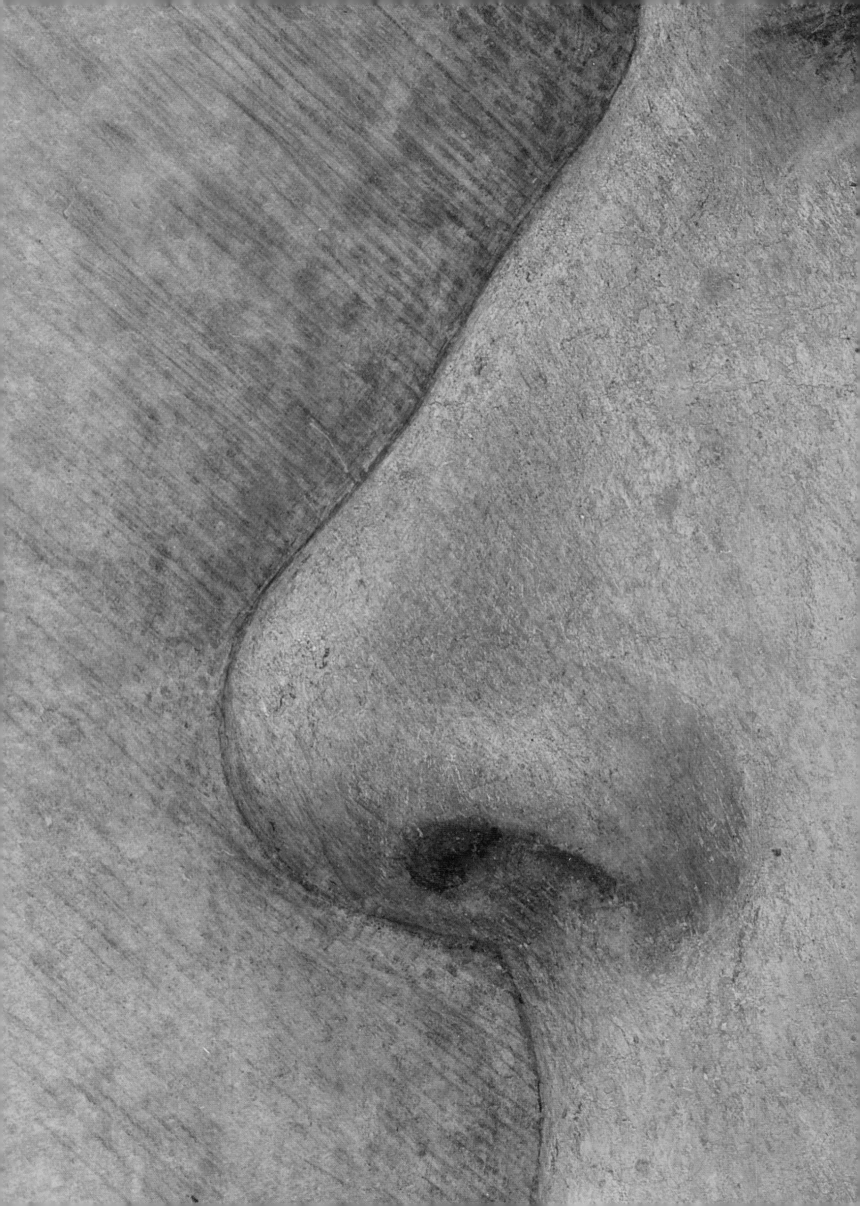

Didascalie

Captions, Légende, Pies de fotos, Opis, Пояснения к рисункам, 解说词

35

Leonardo Da Vinci, Ritratto di Bianca Sforza ("La Bella Principessa"), Collezione privata.

Leonardo da Vinci, Portrait of Bianca Sforza ("La Bella Principessa"), Private Collection.

Léonard de Vinci, Portrait de Bianca Sforza («La Bella Principessa»), Collection privée.

Leonardo da Vinci, Retrato de Bianca Sforza («La Bella Pincipessa»), colección privada.

Leonardo da Vinci, Portret Bianki Sforzy (La Bella Principessa), prywatna kolekcja.

Леонардо да Винчи, портрет Бьянки Сфорца («Прекрасная принцесса»), частная коллекция.

列奥纳多·达·芬奇, 肖像画: 比安卡·斯福尔扎（"美丽公主"）

37

Giovanni Pietro Birago, Sforziade, carta di incipit miniata, Varsavia, Biblioteca Nazionale.

Giovanni Pietro Birago, Illuminated Title-Page of the Sforziada, Warsaw, National Library.

Giovanni Pietro Birago, Page de titre enluminée du Sforziada, Varsovie, Bibliothèque Nationale.

Giovanni Pietro Birago, primera página iluminada de la Sforziada, Varsovia, Biblioteca Nacional.

Giovanni Pietro Birago, Ilustrowana strona tytułowa Sforziady, Warszawa, Biblioteka Narodowa.

Джованни Пьетро Бираго, «Сфорциада», зачин, иллюстрированный миниатюрами, Варшава, Национальная библиотека.

乔瓦尼·皮耶罗·比拉格·斯福尔扎的新曙光 (华沙，国家图书馆)

38-39

Ricostruzione della posizione della Bella Principessa nella Sforziade di Varsavia.

Reconstruction of "La Bella Principessa" in the Warsaw Sforziada.

Reconstitution de La Bella Principessa dans le Sforziada de Varsovie.

Reconstrucción de La Bella Principessa en la Sforziada de Varsovia.

Ponowne umieszczenie portretu La Bella Principessa w warszawskiej Sforziadzie.

Вложение на место утраченной страницы с «Прекрасной Принцессой» в варшавскую «Сфорциаду».

华沙的斯福尔扎中《美丽公主》的地位得到恢复

40

Sovrapposizione digitale della Bella Principessa con i fori della rilegatura della Sforziade.

Digital Superimposition of "La Bella Principessa" and the Sforziada Showing the Stitching.

Superposition numérique de la Bella Principessa et du Sforziada, montrant les coutures.

Superposición digital de La Bella Principessa y la Sforziada donde se muestran las costuras.

Cyfrowe włączenie portretu do książki ze wskazaniem punktów zszycia.

Цифровое совмещение «Прекрасной Принцессы» с отверстиями переплета «Сфорциады».

《美丽公主》中原有的装订孔和斯福尔扎的装订空重叠。

43

Particolare dell`impronta del palmo presente sul collo della Bella Principessa.

Hand Print in the Neck in the Portrait.

Empreinte de main sur le cou du modèle dans le portrait.

Huella de la mano en el cuello en el retrato.

Odcisk dłoni na szyi przedstawionej postaci.

Деталь отпечатка ладони на шее «Прекрасной Принцессы».

《美丽公主》人像脖子上呈现出的特殊掌印

79

Retro della tavola sulla quale è montato il ritratto (con i listelli rimossi).

Rear of the Board on which the Portrait is Mounted (with Fillets Removed).

Arrière de la planche sur la quelle le portrait est monté (les filets ont été retirés).

Parte posterior de la tabla donde estaba montado el retrato (con las molduras quitadas).

Tylna strona deski, na której zamocowany jest portret (listwy zostały usunięte).

Задняя сторона деревянной основы, на которой установлен рисунок (со снятыми рейками).

肖像画的后面已经装裱好了

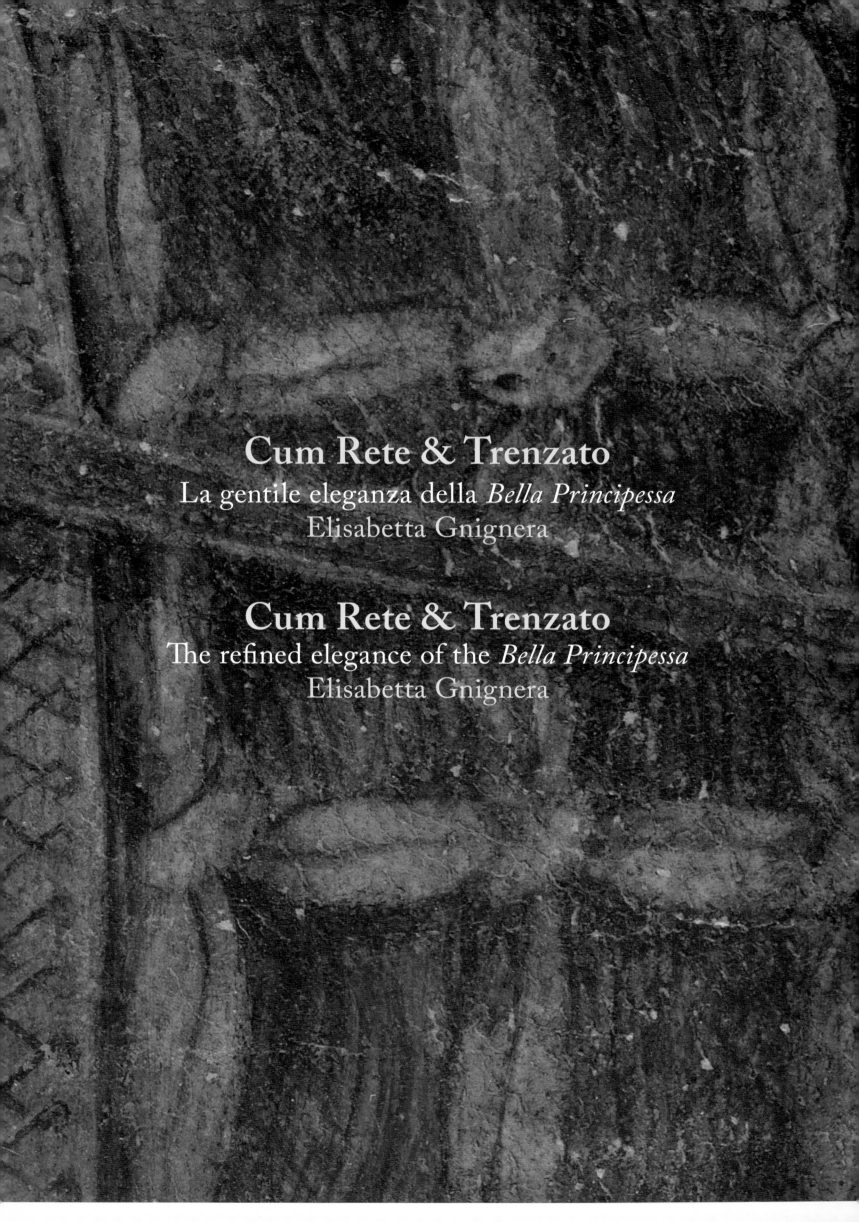

Cum Rete & Trenzato

La gentile eleganza della *Bella Principessa*
Elisabetta Gnignera

Cum Rete & Trenzato

The refined elegance of the *Bella Principessa*
Elisabetta Gnignera

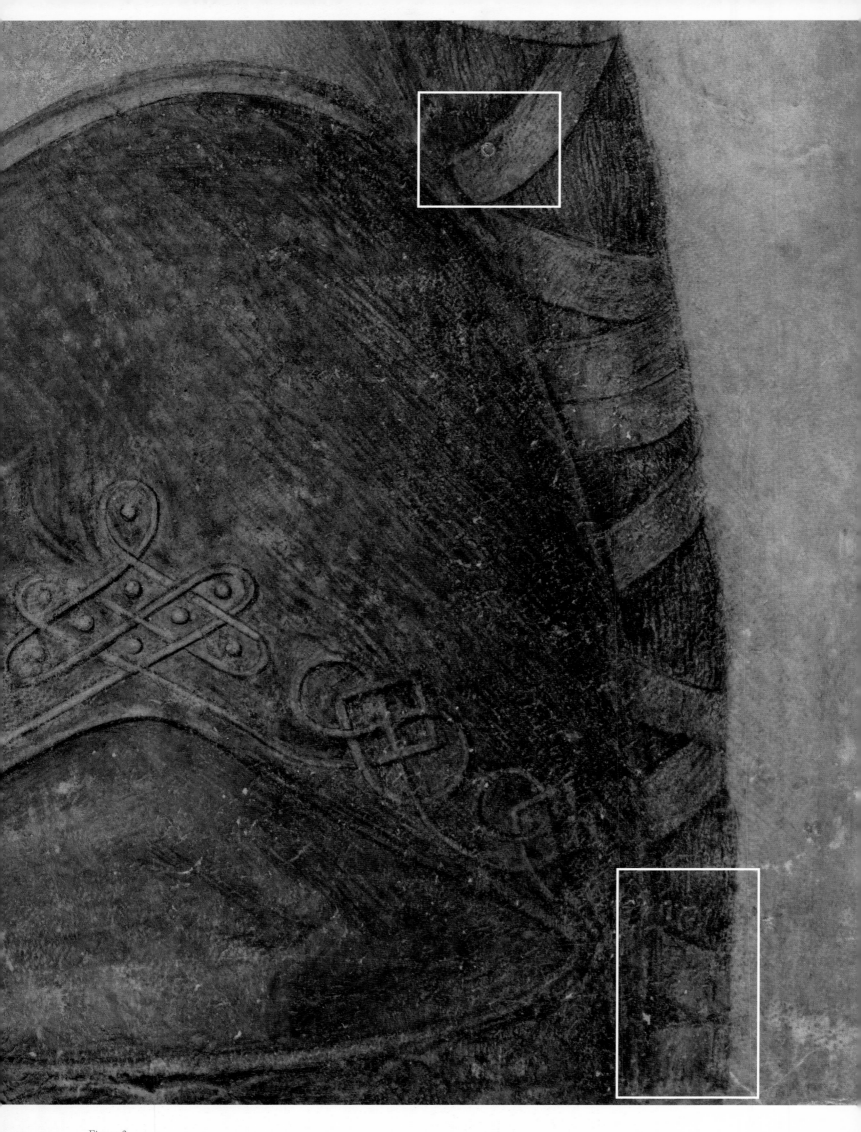

Figura 2.
Dettaglio ingrandito del coazzone de La Bella Principessa, dove si intravedono delle spillette con capocchia, usate, nel Quattrocento, per fissare nastri e veli.
© Elisabetta Gnignera

E quasi impercettibile è la spilletta che ho ritenuto, già qualche anno fa (giugno 2010) di intravvedere ad occhio nudo, conficcata tra i nastri del *trenzado* della *Bella Principessa* nella parte mediana del *coazzone*. Dopo aver osservato attentamente *de visu*, il disegno de *La Bella Principessa* (Ginevra, 12 marzo 2013) e ritenendo di intravvedere altre possibili *agucchie* (spillette) infilate tra i nastri terminali del coazzone [**Figura2**], ho potuto suffragare scientificamente questa mia convinzione grazie alle analisi multispettrali effettuate da Pascal Cotte in concomitanza della mia visita, dalle quali sono emerse le tracce di almeno altre cinque *agucchie da pomella* (spillette con capocchia), conficcate nei nastri terminali del *trenzado* come visibile dalla immagine L.A.M. (Layer Amplifacion Method) fornita da Lumière Technology di cui propongo in questa sede una mia personale ricostruzione grafica [**Figura 3**].

Assolutamente eccezionale per la storia del costume, appare questa evidenza scientifica, la quale ci dà conto di come venissero usate, nella pratica, queste spillettine frequentemente rappresentate per lo più in opere di artisti fiamminghi [Robert Campin], mentre rari se non eccezionali, appaiono i precedenti 'italiani': uno dei pochi, per questo dettaglio abbigliamentario trapassato nella raffigurazione pittorica, è rappresentato da un *Profilo femminile* datato a agli anni 1465-75 e correntemente riferito ad Italia settentrionale, conservato nella National Gallery of Victoria di Melbourne [**Figura 4**].

Pertanto, l'attenzione che l'autore della *Bella Principessa* ha riservato ad un dettaglio così minuzioso e, ciononodimeno, pragmatico e coerente con questa foggia di acconciatura, sarebbe perfettamente compatibile con la poliedrica attività creativa che Leonardo da Vinci ha dispiegato durante il primo soggiorno milanese presso la corte sforzesca (1482-1499) quando è ormai appurato il coinvolgimento del Maestro toscano nell'allestimento sceno-tecnico di spettacoli, per i quali Leonardo disegnava anche costumi e acconciature, talvolta sperimentando personalmente le soluzioni tecniche più appropriate(Venturi 1939; Venturelli 2002).

Viceversa, non possiamo non domandarci perché, a fronte di una tale minuziosità figurativa, nessun tipo di gioiello venga rappresentato: l'ipotesi più plausibile è, a mio avviso, quella di una precisa scelta iconografica, effettuata dall'artista, per veicolare significati, ormai in parte sbiaditi agli occhi del lettore moderno.

Se Martin Kemp motivava tale scelta nel 2010, alla luce di un presunto ritratto commissionato per un volume memoriale piuttosto che matrimoniale (Kemp-Cotte 2010, p.82) e, dunque, il ritratto poteva essere

Figura 3.
A sinistra: *Immagine L.A.M. del dettaglio delle spillette con capocchia sulla parte bassa del coazzone de La Bella Principessa.* Immagine © Lumière Technology/ Pascal Cotte. A destra: *ipotesi di ricostruzione grafica delle tracce di agucchie da pomella sulla parte terminale del coazzone de La Bella Principessa (14 marzo 2013).* © Elisabetta Gnignera

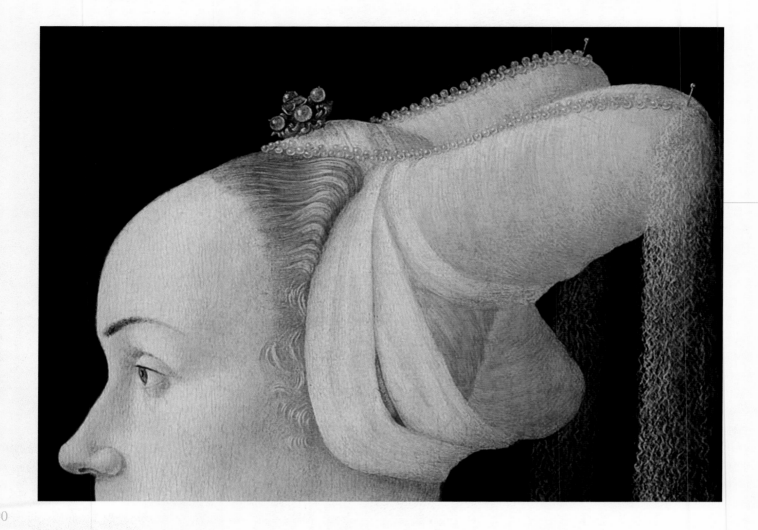

considerato eventualmente *post-mortem*, nel 2012, con l'ausilio di nuove fonti, lo stesso Kemp suffragava l'ipotesi di un ritratto matrimoniale in cui l'effigiata potesse essere una dama di corte da poco maritata alla quale le consuetudini del rango e le limitazioni suntuarie del tempo, inibivano forse lo sfoggio eccessivo di ornamenti (Kemp-Cotte 2012, p.59). Entrambe le ipotesi sono 'al contempo' esatte, se si accoglie l'identificazione della giovane donna ritratta con Bianca Giovanna Sforza, dati i pochissimi mesi intercorsi tra la deliberazione della *transductio ad maritum* di Bianca Giovanna documentata al 20 giugno 1496 e la sua morte avvenuta il 23 novembre dello stesso anno: forse il ritratto può essere stato inizialmente concepito come un ritratto matrimoniale *tout court*, per poi essere trasformato in un ritratto matrimoniale *in memoriam*, dato il precipitare degli eventi.

Dal punto di vista strettamente abbigliamentario, l'assenza di una qualsiasi gioia, specialmente di perle, le quali venivano solitamente raffigurate in ogni caso in ritratti matrimoniali celebrativi, anche postumi - ed i quali difficilmente sottostavano alle leggi 'suntuarie' in vigore per regolamentare vesti e ornamenti per lo più femminili - mal si concilia con un ritratto matrimoniale *tout court*... Forse il ritratto fu completato dopo la morte della giovane sposa, divenuta in questo caso ed alquanto improvvisamente una *gisante* ?

Interrogativo questo, la cui risoluzione lascio a studiosi di discipline più pertinenti alla questione sollevata.

Ciò che è invece certo, dal punto di vista abbigliamentario, è che la giovane donna indossa una sopravveste assolutamente tardo-quattrocentesca di probabile matrice spagnola e in uso sia presso la corte aragonese di Napoli, sia in Italia settentrionale nell' ultimo ventennio del Quattrocento. Si tratta probabilmente di quel *mongino, monzino* o *monzile* di cui serbano menzione alcuni corredi e inventari lombardi a cavallo tra gli anni '80 e '90 del Quattrocento (Santoro 1953; Gandini, riedizione del 2010, p. 68). Tipologicamente affine a mio avviso, alle sopravvesti di alcune delle figlie di Giovanni II Bentivoglio e Ginevra Sforza raffigurate nella cosiddetta *Pala Bentivoglio* di Lorenzo Costa **[Figura 5]**, il *mongino* doveva essere una sopravveste lunga fino a terra, aperta davanti, con o senza coda e, talvolta priva di maniche o con maniche corte, come visibile appunto nella *Pala* del Costa per la quale significativa è la coincidenza di date tra la sua esecuzione (1488) ed il corredo, perfettamente coevo di Elisabetta Gonzaga (datato al 20 febbraio 1488) in cui si registra «uno monzino de pan morello» (Gandini, riedizione del 2010, p.68).

Figura 4.
Italia settentrionale, *Profile Portrait of a Lady*, 1465-75 (dettaglio delle spillette da testa). Tempera e olio su tavola di pioppo, Melbourne, National Gallery of Victoria. Melbourne Felton Bequest, 1946 (1541-4).

Le ricerche di Luigi Alberto Gandini, ci confermano inoltre che il *mongino* era abitualmente adottato alla corte di Ferrara nella seconda metà del Quattrocento, sia da Eleonora d'Aragona, la quale ne possedeva ben quaranta nella sua guardaroba – negli anni tra il 1478 ed il 1485 - sia dalle figlie, le quali, già ad un anno, vestivano il *monceleto*.

Dunque, niente di più probabile che Beatrice d'Este avesse implementato l'uso di questo indumento alla corte sforzesca, una volta giunta a Milano come sposa di Ludovico e divenuta quasi da subito 'Duchessa *in pectore*' surclassando l' infelice ed esautorata Isabella d'Aragona.

Infine, come chiarito nelle recenti conferenze di Urbino e Lugano, è da considerarsi schiettamente tardo-quattrocentesco anche il taglio triangolare sulla parte alta della manica della sopravveste della *Bella Principessa*, in quanto, nella realtà dei fatti, tale apertura - vòlta a dare agio al braccio- si originava dall'incontro tra la linea della spalla, appena scesa, e la parte alta della manica sottostante, così come avviene anche nella serie di busti marmorei di Francesco Laurana (ca. 1430 - entro 1502), riferiti variamente a gentildonne di casa sforzesca o aragonese, e datati agli anni 1470-79 [**Figura 6**: ma si vedano anche le seguenti opere di Francesco Laurana: *Busto di Principessa di casa aragonese* (Ippolita Sforza?), 1475 ca. Marmo. Washington, National Gallery of Art; *Busto di Donna*, 1470-1479 ca. Marmo. New York, The Frick Collection; *Battista Sforza*, 1474 ca. Marmo. Firenze, Museo Nazionale del Bargello; D.Brucciani & Co, Calco in gesso (XIX secolo) da originale mutilato durante il secondo conflitto mondiale, *Presunto ritratto di Ippolita Maria Sforza* (1473 ca.), Londra, Victoria & Albert Museum].

Se, alcuni di tali esempi precoci di sopravvesti 'alla moda spagnola', raffigurati nei busti muliebri del Laurana sopracitati, presentavano di già delle minute decorazioni intorno all'apertura della manica, nella *Bella Principessa*, la presenza dei famosi *nodi* decorativi a rimarcare la linea spiccatamente triangolare dell'apertura stessa, diventa forse, a mio parere, un ulteriore e personale espediente 'stilistico' dell'artista esecutore.

Molto in auge sullo scorcio del Quattrocento, tali 'intrecci decorativi realizzati con cordoncini, galloni o, semplicemente ricamati con punti di filo di seta, prendevano il nome di «*groppi*» (Ricci, riedizione del 2006, pp. 109,111) e come tali ossia come «*lavori facti a groppo*», li troviamo descritti, ad esempio nel corredo di Paola Gonzaga (1501).

Figura 5.
Lorenzo Costa, *Le figlie di Giovanni II Bentivoglio e Ginevra Sforza*, particolare dalla *Madonna in trono con Bambino ed i ritratti di Giovanni II Bentivoglio e la sua famiglia*, 1488 ca. Bologna, Chiesa di S.Giacomo Maggiore, Cappella Bentivoglio.

Figura 6.
Francesco Laurana, *Busto di Donna* (?Ippolita Maria Sforza), 1470-1479 ca. Marmo. Riproduzione fotografica della Fototeca della Fondazione Federico Zeri
su concessione di © The Frick Collection, New York.

Nelle varianti simili a quella raffigurata nella *Bella Principessa*, i *groppi*, erano anche noti come *vinci* ossia vincoli appunto, e spesso associati, sullo scorcio del Quattrocento a Leonardo da Vinci il quale li studiò e raffigurò estesamente, ma, come scrive acutamente Martin Kemp a questo proposito: «Nonostante Leonardo fosse rimasto affascinato dai nodi almeno fino dal 1480 e li avesse già usati in precedenza come motivo decorativo nel suo ritratto della *Dama con l'ermellino*, il loro impiego come ornamenti di primaria importanza sugli abiti delle dame di corte a Milano ricevette una spinta decisiva quando il motivo della "fantasia de' vincij" adottato poi da Isabella d'Este, fu elaborato dal poeta di corte Niccolò da Correggio nel 1492. [...] il motivo dei "vinci" allude alla stretta unione che lega insieme gli amanti, così come rivela un gioco di parole col verbo "vincere"» (Kemp-Cotte 2012, p.49)

... O forse, aggiungiamo noi, "la fantasia a vincij" costituisce una sorta di personale e grafica astrazione, suggellata dall' evocativo nome di 'vincio' allusivo al contempo dei giunchi usati per intrecciare manufatti e, nell' omonimía del termine, di Vinci, borgo natìo, da cui Leonardo derivava il nome che lo caratterizzava agli occhi dei contemporanei.

Passando dalla "fantasia a vincij" ricamata sulle vesti, ai colori delle stoffe, che immaginiamo seriche, le *nuances* scaturite dal restauro virtuale a cura di Lumière Technology/Pascal Cotte **[Figura 7]**, presentano anch'esse una notevole coerenza storica, visto che la *palette cromatica* in voga ancora nella seconda metà del Quattrocento nelle corti centro-settentrionali, prevedeva il rosso cremexino, il verde e l'azzurro (Butazzi, 1983, pp. 56-57). Sullo scorcio del Quattrocento, il *cremexile* (rosso cremisi) ed il *verde* permarranno ma con tonalità appena più cupe: il *verde sambugato*, ad esempio, ossia il colore delle foglie del sambuco, sarà presente in molti corredi degli anni '90 del Quattrocento quando si assiste, nei tessuti, alla trasmutazione dei grandi motivi tessili operati dei decenni precedenti, nelle rigorose monocromìe di matrice spagnola con nette contrapposizioni di colori contrastanti ; la supremazia del nero e dei bruni si instaurerà pressoché in tutta la penisola, con l'ingresso di Lucrezia Borgia a Ferrara , il 2 febbraio 1502.

CONCLUSIONI

Il delicato profilo di giovane donna mostra numerosi e caratterizzanti elementi del costume in voga sullo scorcio del Quattrocento i quali, non soltanto sono perfettamenti coerenti fra loro, ma rendono possibile datare con certezza la mise abbigliamentaria raffigurata *all'ultimo decennio del Quattrocento, con particolare riferimento agli anni 1491-97,* coincidenti con la breve permanenza di Beatrice d'Este presso la corte sforzesca di Milano.

Inoltre, la recente scoperta scientifica (Lumière Technology / Pascal Cotte) della presenza di almeno cinque presunte *agucchie da pomella*, ossia spillettine con capocchia, infilate nella parte terminale del *trenzado* della *Bella Principessa*, testimonia di quale profonda conoscenza disponesse l' artista esecutore, dei dettagli più minuti sottesi alla effettiva messa in opera di una tale acconciatura.

Pertanto, dal punto di vista strettamente abbigliamentario, così come illustrato nel presente contributo, trovano una potenziale conferma sia la corrente datazione dell'opera al 1496, sia l'attribuzione al Maestro toscano, Leonardo da Vinci, il quale, nella sua poliedrica attività, non trascurò di certo gli aspetti voluttuari della vita di corte, disegnando costumi e acconciature delle quali dovette ben conoscere le segrete astuzie... pur rigettando, per sua stessa ammissione, «*le affettate acconciature o capellature di teste*» alla ricerca di una pura ed assoluta bellezza:

Non vedi tu che infra le umane bellezze
il viso bellissimo ferma li viandanti, e non gli loro ricchi ornamenti?

(Leonardo da Vinci, *Trattato sulla pittura: Discorso sopra il pratico*)

Bibliografia & Media

Grazietta Butazzi, *Elementi italiani nella moda sullo scorcio tra XV e XVI secolo* in Chiara Buss (a cura di) *Tessuti serici italiani*, 1450-1530. Electa, Milano 1983 pp. 56-63.

Monica Ferrari, *Principesse in divenire nel Quattrocento italiano* in Luisa Giordano (a cura di), *Beatrice D'Este, 1475-1497*, "Quaderni di Artes/2", Edizioni ETS, Pisa 2008, pp. 11-32.

Luigi Alberto Gandini, *Corredo di Elisabetta Gonzaga Montefeltro*, Tipografia L.Roux E C., Torino 1893 riedito in Annarita Battaglioli, *Pupattole e abiti delle Dame estensi. Ricerche di Luigi Alberto Gandini*, Mucchi Editore, Modena 2010, pp.63-74.

Alessandro Giulini, *Bianca Sanseverino Sforza figlia di Ludovico il Moro* in " Archivio Storico Lombardo", Serie quarta, Anno XXXIX, Fasc. XXXV, Fratelli Bocca, Milano 1912, pp.233-252.

Elisabetta Gnignera, *I soperchi ornamenti. Copricapi e acconciature femminili nell'Italia del Quattrocento*. Protagon, Siena, 2010.

Martin Kemp-Pascal Cotte, *The Story of the new masterpiece by Leonardo da Vinci. La Bella Principessa*. Hodder & Stoughton, London 2010.

Martin Kemp-Pascal Cotte, *La Bella Principessa di Leonardo da Vinci*, Mandragora, Firenze, 2012.

Guglielmo Manzi, *Trattato della pittura di Leonardo da Vinci* tratto da un codice della biblioteca vaticana e dedicato alla maestà di Luigi XVIII, Re di Francia e di Navarrà. De Romanis, Roma, 1817.

Maria Serena Mazzi, *Come rose d'inverno. Le signore della corte estense nel '400*, Edizioni Comunicarte, Ferrara 2004.

National Geographic-PBS, rete NOVA - GBH Boston e Arte France: *Mystery of a Masterpiece*" (gennaio 2012) / *"L'énigme de la Belle Princesse*" (maggio 2012), special televisivo.

Elisa Ricci, *Ricami italiani antichi e moderni*, Nuova S1, Bologna 2006 (ristampa riveduta e corretta dell'edizione del 1925).

Caterina Santoro, *Un registro di doti sforzesche*, in "Archivio storico Lombardo" serie VIII, vol, IV, 1953 pp. 177-184.

Attilio Schiaparelli, *Leonardo ritrattista*, Fratelli Treves editori, Milano 1921.

Paola Venturelli, *Copricapi e acconciature femminili nella Lombardia signorile*, in *La Lombardia delle Signorie*, A. Castellano (a cura di), Edizioni Electa Spa, Milano 1986, pp. 267-286.

Paola Venturelli, *Leonardo da Vinci e le arti preziose. Milano tra XV e XVI secolo*. Marsilio Editori, Venezia 2002.

Adolfo Venturi, *Leonardo da Vinci parrucchiere e vestiarista teatrale in* " L'Arte", 1939, pp.13-22.

D. R. Edward Wright: *Il Moro, Duke of Milan, and the Sforziada by Giovanni Simonetta*, 2010 (www.la-bellaprincipessa.com).

Figura 7.
Lumière Technology/Pascal Cotte, *Restauro 'virtuale' de La Bella Principessa.*

Cum Rete & Trenzato
The refined elegance of the *Bella Principessa*
Elisabetta Gnignera

I still remember the emotion and amazement I felt when what was then assumed to be the profile of an indescribably lovely, at times even magnetic, Milanese princess appeared on my computer screen. This image, stamped indelibly in the memory of all who saw it, was of a young girl with her hair styled in a splendid example of the *cuffia a rete*, a net headdress or caul, and *trenzato* a *nastri incrociati*, a braid with criss-crossing ribbons, clearly from the late Quattrocento. Frantically, I can say without exaggeration, I contacted Martin Kemp (email of 6 April 2010), who had already begun extensively studying the drawing. The results of his research subsequently appeared in a detailed and thorough publication (Kemp-Cotte 2010).

Martin Kemp willingly and promptly put me in touch with the owner of the work, the collector Peter Silverman. My aim was to get an image of the *Profilo* into my book on female headdresses and hairstyles in Quattrocento Italy in record time, as it was about to go to print.

Since then, and after carefully examining the work with my own eyes, the emotion and amazement have remained unchanged. Indeed they have increased, as I continue to discover minute details that only an 'inquiring' artist and one deeply familiar with the 'secrets' of the arts of appearance could have represented. From a costume perspective, *La Bella Principessa* is really a warning to be vigilant and to thoroughly investigate what lies behind the truly exceptional coherence in the sitter's dress. For that matter, the presence in this work of so many elements that point to a precise geographic, social and cultural milieu, placing it within a very narrow period when these elements were fashionable, led me to propose immediately, in April 2010, when I contacted Martin Kemp, a dating of the clothing in the drawing, assigning it to the period between 1491 and 1497 when Beatrice d'Este was in Milan and up to her premature death.

Today that instant proposal still seems surprisingly valid, being very close to the outcomes of the well-known research carried out on this portrait (Kemp-Cotte 2012, p.152; D.R. Edward Wright, 2010). Currently it is dated to 1496, as it was originally included in the copy of the *Sforziad* incunabulum-codex held in Warsaw (Inc. F1347, at folio 8r).

But what are the elements of dress that permit such a precise dating of this almost unique work?

Thanks to the support of Martin Kemp, Vittorio Sgarbi, Peter Silverman, Kathleen Onorato, and Scripta Maneant Edizioni, to all of whom I am grateful, this is for me an unmissable opportunity to illustrate the extraordinary combination of significant elements of dress in *La Bella Principessa*.

Following on from what was explained at the press conferences for the opening of the recent exhibitions of "*La Bella Principessa*" in Urbino (Palazzo Ducale: 6 December 2014 - 18 January 2015) and Lugano (Palazzo Civico: 21 March - 19 April 2015), I shall start with the distinctive feature of the hairstyle: a fine net cap woven with the knot technique, identical to the one depicted in *La Dama con la Reticella* in the Pinacoteca Ambrosiana [Figure 1] and probably listed in the late fifteenth-century Lombard inventories as «*ad nexus*» (Venturelli 1986, pp.283, 286: note 53). Here, the small net headdress ends in a long pigtail bound with criss-crossed ribbons: a coiffure known at the time as «*a cuazzone e trenzale*».

This combination of *cuffia a rete* and *trenzale*, I believe, immediately reveals a creative reworking of two costume motifs, respectively Lombard and Spanish. In fact the particular mesh of *bindelli* or *funicoli*, tapes or cords, that we see in the caul in my opinion belongs unmistakably to the Lombard tradition, if not actually Milanese, while the long pigtail bound with criss-crossed ribbons, in other words the combination of *coazzone* and *trenzado*, is of Spanish origin, having reached Italy via the Aragonese court of Naples.

This observation alone requires us to investigate a specific *milieu*: that of the Sforza court in Milan. The Spanish-inspired clothing styles known as "*alla catalana*" were present there from the time Isabella of Aragon came to the court as the wife of Gian Galeazzo (5 February 1489) to the arrival (17 January 1491) of Ludovico's bride Beatrice d'Este, born in Ferrara but brought up at the palace of her maternal grandparents in Naples (Ferrari 2008, pp. 29-31; Mazzi 2004, pp. 44-51). Among them were presumably the *sbernia* (a cloak worn over one shoulder), the *coazzone* (long ponytail or plait) and the *trenzale* or *trenzato* (veil or net wound around the *coazzone*).

Of the two noblewomen, who were related through their mothers and who both grew up at the Aragonese court in Naples, where Beatrice lived from two to ten years of age (1477 to 1485), it was Beatrice who established her personal *supremacy of style* (as her husband asserted his political supremacy over Gian Galeazzo Sforza), not only within the Milanese court but over a large part of central northern Italy (Schiaparelli 1921, pp.141-142). Beatrice in fact made the *coazzone e trenzado* coiffure with crossed ribbons fashionable, as distinct from the version with horizontal ribbons also worn in the same period [see Gian Cristoforo Romano's *Busto di Beatrice d'Este* in the Louvre, and the so-called *Pala Sforzesca* at the Brera Gallery in Milan].

Some interesting possibilities are raised by the hypothesis, which I am suggesting here, that Beatrice d'Este could have attributed a heraldic value to the rhomboid pattern of the *trenzado* ribbons, linking it to the diamond symbol of the House of Este.

On a practical level, symbolism aside, the ribbon or *lencia* across the forehead, tied on one side or at the back of the head with a characteristic butterfly knot [**Figure 1**], sometimes in plain silk as in *La Bella Principessa* and sometimes overloaded with jewels as in the Ambrosiana's *Dama con la reticella*, was by no means enough to hold this hairstyle in place, as is still sometimes wrongly claimed. When the *Bella Principessa*'s coiffure was faithfully reconstructed for a recent television special devoted to this vellum drawing (*Mystery of a Masterpiece/L'énigme de la Belle Princesse*), we found that the particular pins with rounded heads known at the time as *agucchie* in Tuscany and *aguge* or *guge* in northern Italy, which almost invisibly held ribbons and veils in place, were absolutely necessary to fix the *cuffia a rete* and the *trenzale* securely to the hair underneath.

Almost imperceptible as well is the pin that I already thought some years ago (June 2010) I could discern with the naked eye among the ribbons of the *Bella Principessa*'s *trenzado* in the central part of the *coazzone*. After closely studying the drawing (in Geneva on 12 March 2013) I thought I could seee what might have been more *agucchie* (pins) inserted between the ribbons at the end of the *coazzone* [**Figure 2**]. This I was able to scientifically corroborate thanks to the multispectral analyses carried out by Pascal Cotte at the time of my visit, which showed up traces of at least five other *agucchie da pomella* (round-headed pins) inserted in the ribbons at the end of the *trenzado*, as can be seen from Lumière Technology's L.A.M. image, presented here in my own graphic reconstruction [**Figure 3**].

This scientific evidence, apparently unique in the history of costume, explains how the pins (which appear frequently in works mainly by Flemish painters [Robert Campin], while 'Italian' precedents seem to be rare, exceptional) were used in practice. One of the few Italian paintings showing this costume detail from the past is a *Profilo femminile* dated 1465-75 and currently attributed to northern Italy, held in the National Gallery of Victoria, Melbourne [**Figure 4**].

The attention paid by the creator of the Bella Principessa to such a minute detail, but nonetheless a practical one and consistent with this style of coiffure, is therefore perfectly compatible with Leonardo's multifaceted creative activity during his first stay in Milan at the Sforza court (1482-1499). It is well established that in this period the Tuscan master was involved in the technical preparation of scenery for performances, for which he also designed costumes and hairstyles and sometimes tried out the most appropriate solutions for himself (Venturi 1939; Venturelli 2002).

Conversely, we cannot help but wonder why, given such painstaking detail, no jewellery of any kind is shown: the most plausible hypothesis, in my view, is that this was a specific iconographic choice by the artist to convey meanings not entirely clear to the viewer interpreting the work today.

Martin Kemp explained the choice in 2010 from the perspective of a presumed portrait commissioned for a memorial volume, rather than a wedding one (Kemp-Cotte 2010, p.82), in which case the portrait could possibly be considered *post-mortem*. However in 2012 he supported the hypothesis of a wedding portrait in which the sitter may have been a newly married lady-in-waiting, whose rank and the sumptuary

Bibliography & Media

Grazietta Butazzi, *Elementi italiani nella moda sullo scorcio tra XV e XVI secolo* in Chiara Buss (ed.) Tessuti *serici italiani*, 1450-1530. Electa, Milan, 1983 pp. 56-63.

Monica Ferrari, *Principesse in divenire nel Quattrocento italiano* in Luisa Giordano (ed.), *Beatrice D'Este, 1475-1497*, "Quaderni di Artes/2", *Edizioni* ETS, Pisa 2008, pp. 11-32.

Luigi Alberto Gandini, *Corredo di Elisabetta Gonzaga Montefeltro*, Tipografia L.Roux E C., Torino 1893, republished in Annarita Battaglioli, *Pupattole e abiti delle Dame estensi. Ricerche di Luigi Alberto Gandini*, Mucchi Editore, Modena 2010, pp.63-74.

Alessandro Giulini, *Bianca Sanseverino Sforza figlia di Ludovico il Moro* in "Archivio Storico Lombardo", Serie quarta, Anno XXXIX, Fasc. XXXV, Fratelli Bocca, Milan 1912, pp.233-252.

Elisabetta Gnignera, *I soperchi ornamenti. Copricapi e acconciature femminili nell'Italia del Quattrocento*. Protagon, Siena, 2010.

Martin Kemp-Pascal Cotte, *The Story of the new masterpiece by Leonardo da Vinci. La Bella Principessa*. Hodder & Stoughton, London 2010.

Martin Kemp-Pascal Cotte, *La Bella Principessa di Leonardo da Vinci*, Mandragora, Florence, 2012.

Guglielmo Manzi, *Trattato della pittura di Leonardo da Vinci* tratto da un codice della biblioteca vaticana e dedicato alla maestà di Luigi XVIII, Re di Francia e di Navarrà. De Romanis, Rome, 1817.

Maria Serena Mazzi, *Come rose d'inverno. Le signore della corte estense nel '400*, Edizioni Comunicarte, Ferrara 2004.

National Geographic-PBS, NOVA – GBH network Boston and Arte France: *Mystery of a Masterpiece*" (January 2012) / "*L'énigme de la Belle Princesse*" (May 2012), television special.

Elisa Ricci, *Ricami italiani antichi e moderni*, Nuova S1, Bologna 2006 (revised and corrected reissue of the first edition appeared in 1925).

Caterina Santoro, *Un registro di doti sforzesche*, in "Archivio storico Lombardo" serie VIII, vol, IV, 1953 pp. 177-184.

Attilio Schiaparelli, *Leonardo ritrattista*, Fratelli Treves editori, Milano 1921.

Paola Venturelli, Copricapi *e acconciature femminili nella Lombardia signorile*, in *La Lombardia delle Signorie*, A. Castellano (ed.), Edizioni Electa Spa, Milan 1986, pp. 267-286.

Paola Venturelli, *Leonardo da Vinci e le arti preziose*. Milano tra XV e XVI secolo. Marsilio Editori, Venice 2002.

Adolfo Venturi, *Leonardo da Vinci parrucchiere e vestiarista teatrale* in " L'Arte", 1939, pp.13-22.

D. R. Edward Wright: *Il Moro, Duke of Milan, and the Sforziada by Giovanni Simonetta*, 2010 (www.la-bellaprincipessa.com).

Figure 1.
(Left). Detail *of the head net and 'lenza' ribbon* from: Lombard or Ferrarese artist (? Giovanni Ambrogio de' Predis or Lorenzo Costa), *Ritratto di Dama* (? Beatrice d'Este or Anna Sforza), 1485-1500. Milan, Pinacoteca Ambrosiana; **(Right)**. Leonardo da Vinci [attr.], *La Bella Principessa*, Chalk, pen, brown ink and coloured crayons on vellum (330 x 239 mm). Private collection of Peter Silverman.

Figure 2.
Enlarged detail of the coazzone *of La Bella Principessa, where we can make out round-head pins, used in the 15th century to hold ribbons and veils in place.* © Elisabetta Gnignera.

Figure 3.
(Left).*L.A.M. image of detail of the round-headed pins in the lower part of the* coazzone *of La Bella Principessa.* Image © Lumière Technology/ Pascal Cotte. (Right). *Hypothetical reconstruction of the traces of* aguchie da pomella *at the end of the* coazzone *of La Bella Principessa (14 March 2013).* © Elisabetta Gnignera.

Figure 4.
Northern Italy, *Profile Portrait of a Lady,* 1465-75 (detail*).* Tempera and oil on poplar panel, 38.0 x 25.0 cm (image); 40.0 x 26.5 cm (panel), Melbourne, National Gallery of Victoria, Felton Bequest, 1946 (1541-4).

Figure 5.
Lorenzo Costa, *The daughters of Giovanni II Bentivoglio and Ginevra Sforza,* detail from *Madonna in trono con Bambino ed i ritratti di Giovanni II Bentivoglio e la sua famiglia,* c. 1488. Bologna, Church of S.Giacomo Maggiore, Bentivoglio Chapel.

Figure 6.
Francesco Laurana, *Bust of a Lady* (? Ippolita Maria Sforza) c. 1470-1479 ca. Left profile (detail). Marble. Fototeca Fondazione Federico Zeri, © The Frick Collection, New York.

Figure 7.
Lumière Technology/Pascal Cotte©, '*Virtual' restoration of La Bella Principessa.*

Indice

Index, Index, Índice, Indeks, Оглавление, 目录.

MAGNUS
EDIZIONI

www.magnusedizioni.it

impronta
*d'*ARTISTA

www.improntadartista.it

OMLOG

THE ART OF LOGISTICS

www.omlog.com

CATHAY PACIFIC

Life Well Travelled

www.cathaypacific.it

BBconsulting

St.Moritz / Celerina / Lugano

Hotel de la Ville

★★★★ Lusso

M O N Z A

www.hoteldelaville.com

CONFERENCE CENTERS ECOMAP ROMA
SaladaFeltre - Sala**diRienzo**

www.saladafeltre.it   www.saladirienzo.it

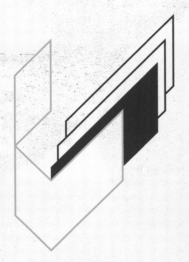

CREDECO srl

**SOCIETÀ RECUPERO
E GESTIONE CREDITO**

www.credeco.it

Testo originale inglese per quest'opera
a cura di
Martin Kemp.
Emeritus Professor of the History of Art,
Trinity College, Oxford University.
© Martin Kemp 2015.

Introduzione di
Vittorio Sgarbi.

Contibuti di
Mina Gregori,
Cristina Geddo,
Elisabetta Gnignera.

Direttore editoriale
Federico Ferrari.

Progetto grafico e impaginazione
Antonio Paoloni, Alessia Rossi.

Traduzioni
Italiano, Dania D'Eramo;
Francese, Bertille Moinard;
Polacco, Tadeusz Serocki;
Spagnolo, Silvia Gómez;
Russo, Vera Tayguzanova;
Cinese, Sara Wang.

Proprietà dell'Opera
Kathleen e Peter Silverman.

Indagini scientifiche
Lumiere Technology, Parigi.
Pascal Cotte, Jean Penicaut.

Fondazione Centro per la Conservazione ed il Restauro
dei Beni Culturali "La Venaria Reale", Torino.
Laboratori di restauro.
Michela Cardinali *(Direttore)*,
Marie-Claire Canepa.
Laboratorio di Imaging
Elena Biondi *(Coordinatore)*,
Alessandro Bovero,
Paolo Triolo.
Centro di Documentazione
Stefania De Blasi *(Responsabile)*,
Lorenza Ghionna.

Allestimento
Tecton Soc. Coop., Reggio Emilia,
Giuseppe Meglioli.

Trasporti
Om Log International Sa,
Intex Sa
Chiasso, Svizzera.

Assicurazione
Lloyd's of London

Diritti riproduzione immagine Bella Principessa
© Scripta Maneant 2015

SCRIPTA MANEVNT

MAGNUS EDIZIONI

impronta
*d'*ARTISTA
www.improntadartista.it

SCRIPTA MANEANT

Via Juri Gagarin, 33/4
42123 · Reggio Emilia · Italy
Tel. +39 051 223535
Numero verde 800 144 944
www.scriptamaneant.it
segreteria@scriptamaneant.it

ISBN: 978-88-95847-46-7

Crediti fotografici

Pagine 4-5, 6-7
Foto Marco Donadoni - Archivio Consorzio Villa Reale e Parco di Monza 2015

La Bella Principessa
Intero (34) e particolari (14-15, 16-17, 22, 24, 28, 29, 30-31, 32-33, 44-45, 50-51,
56-57, 62-63, 68-69, 74-75, 80, 82-83, 84-85, 100, 102 e retro della tavola
sulla quale è montato il ritratto con i listelli rimossi (79):
Collezione privata Peter Silverman; © Scripta Maneant 2015.

La "Sforziade" di Varsavia, frontespizio, intero (37)
e particolari (18-19, 21): Varsavia, Biblioteca Nazionale;

Ricostruzione della *Bella Principessa* nella "Sforziade" di Varsavia (38-39, 40):
Pascal Cotte © Lumiere Technology;

Studi sull'impronta sul collo della *Bella Principessa* (43):
Pascal Cotte © Lumiere Technology.

Appendice
1a   Foto Scala, Firenze
1b   © Scripta Maneant
2   © Scripta Maneant/©Elisabetta Gnignera
3a   © Lumière Technology/Pascal Cotte
3b   © Elisabetta Gnignera
4   Melbourne, National Gallery of Victoria. Melbourne Felton
     Bequest, 1946 (1541-4).
5   Foto Scala, Firenze/Luciano Romano/Fondo Edifici di Culto,
     Ministero dell'Interno – Dipartimento per le Libertà civili
     e l'Immigrazione – Direzione Centrale per l'Amministrazione
     del Fondo Edifici di Culto.
6   Su concessione di The Frick Collection. La riproduzione
     fotografica è tratta dalla Fototeca della Fondazione Federico Zeri.
     I diritti patrimoniali d'autore risultano esauriti.
7   © Lumière Technology/Pascal Cotte